Bewertung der Umweltauswir ...bau im
Amazonasgebiet

Welison Teodoro de Sousa

Bewertung der Umweltauswirkungen des Mineralienabbaus im Amazonasgebiet

Fallstudie: Redenção, Pará, Brasilien

ScienciaScripts

This book is a translation from the original published under ISBN 978-613-9-60292-6.

Publisher:
Sciencia Scripts
is a trademark of
Dodo Books Indian Ocean Ltd. and OmniScriptum S.R.L publishing group

120 High Road, East Finchley, London, N2 9ED, United Kingdom
Str. Armeneasca 28/1, office 1, Chisinau MD-2012, Republic of Moldova, Europe

ISBN: 978-620-7-27345-4

ZUSAMMENFASSUNG

KAPITEL 1

EINFÜHRUNG

Die territoriale Nutzung Brasiliens ist durch mangelnde Planung gekennzeichnet und hat folglich Umweltauswirkungen auf die natürlichen Ressourcen. Der Abbau von Mineralien ist für Brasilien wichtig, da er Arbeitsplätze schafft und die Entwicklung der Städte vorantreibt, aber damit verbunden sind Umweltauswirkungen, die analysiert und gemildert werden müssen (HOFFMANN, 2009).

Die Ausweitung der Wirtschaftstätigkeit führt zu einer verstärkten Nutzung der natürlichen Ressourcen als Rohstoffquelle und verschärft die durch den Menschen verursachten Umweltprobleme.

In jüngster Zeit wurden das Umweltmanagement und die Überwachung durch öffentliche Stellen intensiviert, was die Unternehmen dazu veranlasste, ihre Aktivitäten anzupassen (MACHADO, 2009).

Die Umweltverträglichkeitsprüfung (UVP) ist ein äußerst wichtiges Instrument zur Vorhersage und Bewertung der ökologischen, sozialen und wirtschaftlichen Auswirkungen von Projekten oder Aktivitäten.

Nach Sánchez (2006) wurde die UVP ursprünglich zur Bewertung von technischen Projekten geschaffen, doch im Laufe der Zeit hat sich ihr Anwendungsbereich auf staatliche Pläne und Programme, die Unternehmensplanung und die Analyse der ökologischen Nachhaltigkeit ausgeweitet.

Die Umweltverträglichkeitsprüfung ist ein Instrument des Umweltmanagements, das darauf abzielt, die Auswirkungen und Folgen für die Umwelt zu diagnostizieren sowie Alternativen zu analysieren und Lösungen zur Minimierung der durch verschiedene industrielle Tätigkeiten verursachten Auswirkungen vorzuschlagen.

2

Die Gemeinde Redenção im Bundesstaat Pará ist durch eine historisch bedingte Abholzung, den Abbau von Mineralien, die Verdrängung der einheimischen Vegetation zur Schaffung von Weideflächen, die landwirtschaftliche Nutzung und den Bergbau geprägt, was zu natürlichen Veränderungen und den daraus resultierenden Umweltauswirkungen führte (SOUSA; LIMA, 2012).

Ziel dieser Studie ist es jedoch, die erheblichen Umweltauswirkungen des Abbaus von Mineralien der Klasse II für die unmittelbare Verwendung im Baugewerbe am Beispiel des Sandabbaus in versunkenen Gruben in der Gemeinde Redenção/PA zu bewerten.

KAPITEL 2

ZIELE

2.1 ALLGEMEINES

Ermittlung und Bewertung der Umweltauswirkungen, die durch den Sandabbau in versenkten Gruben in der Gemeinde Redenção/PA verursacht werden.

2.2 SPEZIFISCH

• Charakterisierung der Umweltauswirkungen, die sich aus der Beeinträchtigung der Gebiete durch den Sandabbau in der betreffenden Gemeinde ergeben.

• Nennen Sie die einschlägigen Umweltvorschriften für die untersuchte Tätigkeit.

• Überwachung der Sandgewinnung zwischen 2013 und 2016 in der Gemeinde Redenção-PA.

KAPITEL 3

METHODIK

3.1 DATENERFASSUNG

Zur Gewinnung von Primärdaten wurden direkte und indirekte induktive Methoden quantitativer und qualitativer Art eingesetzt. Bei der Datenerhebung wurde das Untersuchungsgebiet mit Hilfe eines GPS-Geräts (*Global Position System*) vor Ort besucht. Es wurden Fotos gemacht und Satellitenbilder ausgewertet. Die Feldbegehungen fanden im Sommer statt, da in dieser Zeit der Sandabbau im Untersuchungsgebiet am intensivsten ist.

Es wurde eine Literaturrecherche durchgeführt, um Sekundärdaten zu erhalten, die als Grundlage für die Arbeit und die Anwendung der besten UVP-Methode für die physische, biotische und anthropogene Umwelt dienen sollten.

3.2 DATEN ANALYSIEREN

Die *Overlay-Mapping-Technik* wurde in Verbindung mit dem EIA-Tool verwendet. Mit der Software *ArcGis* 10.2 wurde ein Mosaik aus Bildern erstellt, die vom Nationalen Institut für Weltraumforschung (INPE) stammen. Eine *Shape-Datei* von der SIGMINE-Website mit den vom DNPM in Redenção-PA angeforderten Polygonen wurde den Bildern überlagert, um die Entwicklung der Umweltauswirkungen zwischen 2013 und 2016 zu überprüfen. Es wurden Daten über das Umweltgenehmigungsverfahren für die Sandgewinnung in der Gemeinde eingeholt, um ein besseres Verständnis der Überwachung der Umweltauswirkungen im Untersuchungsgebiet zu erhalten.

Die Technik der *Checklisten* und Interaktionsmatrizen wurde verwendet, um eine Skala der Größenordnung und Bedeutung der Umweltauswirkungen zu erstellen und sie durch physikalische, biotische und anthropogene Mittel zu identifizieren.

KAPITEL 4

HINTERGRUND

Die Ausbeutung der natürlichen Ressourcen ist für die Bevölkerung von großer Bedeutung, da die Auswirkungen auf die Umwelt irreversibel und/oder reversibel sein können. Daher müssen diese Auswirkungen berücksichtigt und bewältigt werden, wenn sie auftreten.

Unternehmen, die mit der Ausbeutung natürlicher Ressourcen arbeiten, haben sich in letzter Zeit an die Anforderungen der Umweltgesetzgebung angepasst, da die Anforderungen der Aufsichtsbehörden gestiegen sind. Dies hat zur Folge, dass die Unternehmen, die die Rohstoffe kaufen, von ihren Lieferanten die entsprechenden Umweltlizenzen verlangen.

Die Gemeinde Redenção-PA im Süden von Pará hat sich seit ihrer Emanzipation im Mai 1982 durch das Gesetz Nr.^{0} 5.028 durch die Ansiedlung von Landwirten und Einwanderern aus verschiedenen Bundesstaaten entwickelt, da die Region reich an natürlichen Ressourcen ist und sich in einer strategischen geografischen Lage befindet, die durch Bundes- und Staatsautobahnen erschlossen wird, was sie zu einem potenziellen Knotenpunkt für die gesamte Region macht (BRASIL et al., 1996).

Die beschleunigte Entwicklung der Gemeinde in den letzten 15 Jahren hat zu einer starken Nachfrage nach der Gewinnung von Bodenschätzen geführt, insbesondere von solchen, die unmittelbar im Bauwesen verwendet werden, was zur Eröffnung mehrerer Sandgruben führte, die in der Gemeinde ernsthafte Umweltprobleme verursacht haben. Die Gewinnung von Bodenschätzen oder der "Bergbau" selbst gilt als eine der umweltschädlichsten Tätigkeiten, da sie verschiedene Auswirkungen hat: visuelle Beeinträchtigung der Landschaft, des Bodens, des Reliefs, Veränderungen der Wasserqualität, Unannehmlichkeiten für die Bevölkerung, die in der Nähe von Bergbauprojekten lebt, und die Gesundheit der direkt an dem Projekt Beteiligten (MMA, 2016).

Auf diese Weise wurde die UVP-Methode angewandt, um die durch diese Tätigkeit verursachten Umweltauswirkungen zu bewerten und Maßnahmen zu deren Korrektur und Verringerung vorzuschlagen.

6

KAPITEL 5

THEORETISCHER RAHMEN

5.1 UMWELT

Gemäß der Resolution des Nationalen Umweltrates (CONAMA) 306/2002 wird in Anhang I der Definitionen unter Punkt XII Folgendes beschrieben: "Die Umwelt ist die Gesamtheit der Bedingungen, Gesetze, Einflüsse und Wechselwirkungen einer physikalischen, chemischen, biologischen, sozialen, kulturellen und städtischen Ordnung, die das Leben in all seinen Formen ermöglicht, beherbergt und regelt."

Nach Sánchez (2008):

> Der Umweltbegriff im Bereich der Umweltplanung und des Umweltmanagements ist weit gefasst, vielschichtig und formbar. Breit, weil sie sowohl die Natur als auch die Gesellschaft umfassen kann, vielfältig, weil sie aus verschiedenen Perspektiven verstanden werden kann, und formbar, weil sie sowohl breit als auch vielfältig ist. Er kann je nach den Bedürfnissen des Analytikers oder den Interessen der Beteiligten reduziert oder erweitert werden.

Die Umwelt umfasst Umweltstudien, Bewirtschaftungspläne und -programme, einschließlich Ausgleichs- und Abhilfemaßnahmen. Die Auslegung des Begriffs "Umwelt" ist von grundlegender Bedeutung für die Festlegung von Umweltplanungs- und -managementinstrumenten (SÁNCHEZ, 2006).

5.2 MINERAL

BRASIL (1997) beschreibt ein Mineral als einen anorganischen Körper mit einer chemischen Zusammensetzung und definierten physikalischen Eigenschaften, der in der Erdkruste vorkommt, und betont, dass ein Mineral oder ein Mineralaggregat, das in der Industrie wirtschaftlich genutzt werden kann, ein Mineral ist.

Sand, um den es in diesem Artikel geht, hat verschiedene Verwendungszwecke: Er kann für Mörtel, Beton mit Flussmittel, Schleifmittel, Glas und die Herstellung von Quarzziegeln verwendet werden. In Pulverform wird er in Porzellan, Farben, Sandpapier usw. verwendet (MINERALS, 2004).

Für Sand gibt es verschiedene Definitionen: In der geologischen Fachliteratur wird Sand als detritisches Material mit unterschiedlichen Größen und Partikeln bezeichnet, das als kieselhaltige detritische Ablagerung aus Quarzpartikeln definiert ist (MACHADO, 2009).

Der Gegenstand dieser Studie ist der im Bauwesen verwendete Sand, der in der Form vermarktet wird, in der er gewonnen wird, wobei er nur durch feste Gitter zur Trennung nach Korngröße, gröberen (Kies, Pellets, Konkretionen) und Schmutz (organische Stoffe, Blätter, Baumstämme) und einfaches Waschen zur Entfernung von Ton geleitet wird (BRASIL, 1997).

5.3 BERGBAUAKTIVITÄTEN

Unter Bergbau versteht man das Auffinden, Bewerten und Abbauen von nutzbaren mineralischen Stoffen, die sich in oder auf der Erdoberfläche befinden (GEHLEN; BRANDLI, 2007).

Ziel des Bergbaus ist es also, ein wirtschaftliches Wachstum bei möglichst geringer Beeinträchtigung der Umwelt zu gewährleisten, indem geeignete Verfahren für die Ausbeutung und Vermarktung geschaffen werden (TAVEIRA, 1997).

Der Bergbau ist eine zerstörerische Tätigkeit, die Veränderungen an der Erdoberfläche verursacht und sich nicht nur auf die lokale Landschaft, sondern auch auf das Ökosystem des betroffenen Gebiets auswirkt und indirekt betroffen ist, da die Bodenschätze für das Überleben der Menschheit unerlässlich sind und unter Einhaltung der Umweltvorschriften abgebaut werden müssen (FILHO et al. 2007).

Rossete (1996) beschreibt, dass der Bergbausektor seine eigenen Merkmale hat, die ihn von anderen Sektoren unterscheiden. Diese Merkmale wurden von Vicz (1998) zusammengefasst und sind nachstehend in Tabelle 01 aufgeführt.

Tabelle 1 - Merkmale des Sandabbausektors

Eigenschaften	Beschreibung
Erschöpfbarkeit	Mineralische Rohstoffe werden durch die Produktion erschöpft, weshalb sie als nicht erneuerbare natürliche Ressourcen gelten.
Starrheit des Standorts	Mineralstoffe sind dort zu finden, wo die physikalischen, chemischen und geologischen Bedingungen ihre Entstehung ermöglicht haben.
Überwachung der Umwelt	Der Bergbau ist eine Tätigkeit, die die Umwelt wesentlich verändert und als solche eine systematische Überwachung erfordert.
Größe	Bei den Unternehmen, die Zuschlagstoffe abbauen, handelt es sich überwiegend um kleine Unternehmen.
Kapital	Die Größenordnung und das Ausmaß der Investitionskosten und des Risikos

8

	sind bei der Gewinnung von Zuschlagstoffen um ein Vielfaches geringer als bei anderen Bergbauaktivitäten.
Markt	Der Markt für Zuschlagstoffe ist im Allgemeinen ein lokaler Markt.
Relative Häufigkeit	Aufgrund ihrer weiten geografischen Verbreitung glauben viele, dass Gesteinskörnungen überall zu finden sind, was jedoch nicht immer zutrifft.
Niedrige Ausschussquote	Bei der Gewinnung von Gesteinskörnungen fallen nur geringe Mengen von Abfällen an, die weniger als 5 % ausmachen.
Einfacher Abbau und Verarbeitung	Vor allem Sand lässt sich mit wenigen Abbaubetrieben und einigen wenigen Geräten abbauen.

Quelle: VICZ, 1998.

(Tabelle 01) veranschaulicht die von Vicz (1998) dargelegten Merkmale, der hervorhebt, dass es sich um einfache Tätigkeiten handelt, die an schiffbaren Flüssen und Seen durchgeführt werden und bei denen ein gewisser Reichtum an Material anfällt, das auf einem lokalen Markt vermarktet wird, wobei es sich um eine Tätigkeit handelt, die ökologische und ökologische Veränderungen hervorruft, mit einer geringen Abfallmenge, die die Sandreste und die Abwässer aus der Sandförderung darstellt.

KAPITEL 6

VERFAHREN ZUR MINERALGEWINNUNG DER KLASSE II

6.1 ARBEIT BEI DER SANDGEWINNUNG

Die Gewinnungsarbeiten in den Gruben umfassen drei (3) Stufen, die in den nachstehenden Tabellen (2 bis 6) gemäß Sousa (2016) hervorgehoben sind.

Tabelle 2 - Arbeitskräfte für die Sandgewinnung

BAGGERARBEITEN
^ Baggerführer;
Helfer für die richtige Verteilung der Ladung auf dem Schiff.
BEFÖRDERUNG DES MATERIALS ZUM VERBRAUCHER
^ Treiber;
^ Radladerfahrer.
UNTERSTÜTZUNG VOR ORT UND IN DER VERWALTUNG
^ Mechaniker;
^ Büroassistentin;
^ Die gesamte direkte Arbeit wird wie folgt aufgeteilt etwa 7 (sieben) Personen.
INFRASTRUKTUR
^ Büro;
^ Workshop;
^ Speicherbereich.

Quelle: Vom Autor (2016).

6.2 MASCHINEN UND ANLAGEN

Der Sand wird mit Kipplastern mit einer Kapazität von 12 bis 15 m transportiert[3] . Die für diese Tätigkeit verwendeten Geräte und Maschinen sind in Tabelle 3 aufgeführt.

Tabelle 3 - Maschinen und Ausrüstung für die Gewinnungstätigkeit

AUSRÜSTUNG
^ Blade-Traktoren
Lastwagen
^ Bagger
^ 4" Zoll Bagger

Quelle: Vom Autor (2016).

Die Produktionskapazität eines 04"-Saugbaggers beträgt 200 m^3 /Tag. In der Praxis ist dies nicht der Fall, da verschiedene unvorhergesehene Ereignisse auftreten, die sich direkt auf die Produktion auswirken und diese sogar auf 150 m3 /Tag reduzieren. Die Verringerung der Produktion ist auf verschiedene Faktoren zurückzuführen (Tabelle 4).

Tabelle 4 - Faktoren zur Verringerung der Produktion pro Bagger

^ Stopp für die Wartung der Ausrüstung;
^ Mechanische Probleme mit dem Motor des Baggers;
^ Fehlende oder verspätete Arbeitnehmer;

Das Material ist gut sortiert, fast homogen, und der verbleibende Abfall wird in PRAD verwendet, um das Gelände auszugleichen. Das Wasser, das sich mit dem abgebauten Material vermischt, durchläuft einen Filterprozess, der als Rückhaltesperre bezeichnet wird, und kehrt in die Grube zurück, aus der es gewonnen wird.

Mit dem Fortschreiten der Tätigkeit wird sie jedoch in der Lage sein, neue Bagger mit größerer Förderkapazität zu beschaffen.

6.3 ENTLADE- UND LAGERHAFEN

Das vom Saugbagger geförderte Material wird direkt neben den Betrieb transportiert. Über ein Rohrleitungssystem wird das Material in einer Entfernung von 60 Metern aus der Grube entlassen und durch Siebe mit unterschiedlichen Öffnungen je nach der vom Bauunternehmer gewünschten Korngröße geleitet. Dort wird das Rohmaterial für den späteren Transport zu Depots in der Stadt gelagert.

KAPITEL 7

SANDABBAU UND -VERARBEITUNG

Sand ist ein feines Aggregat, das aus der natürlichen oder künstlichen Zerkleinerung von Gestein durch industrielle Prozesse entsteht (FREITAS, 2007).

Nach der brasilianischen Vereinigung für technische Normen (ABNT) 7211 wird Sand definiert als: "Boden, der aus mineralischen Körnern besteht, von denen die überwiegende Mehrheit einen Durchmesser zwischen 0,05 und 4,8 mm hat und durch ihre Textur, Kompaktheit und Kornform gekennzeichnet ist".

Nach Angaben des Staatssekretariats für Umwelt und Nachhaltigkeit (SEMAS) (2016) wird die Methode zur Gewinnung von Sand aus Wasserstraßen wie folgt beschrieben: "durch den Einsatz von Saugbaggern, die auf schwimmenden Plattformen, den sogenannten Flößen, installiert sind, die dann über Rohrleitungen zum Lagerhaus geführt werden, wo sie das Material direkt auf Lastwagen werfen, woraufhin das Material auf natürliche Weise trocknet, indem es von den Gewinnungsstellen abfließt und verdunstet". Diese Methode wird in der Gemeinde Redenção im Bundesstaat Pará angewandt (Abbildung 1).

Abbildung 1 - Sandgewinnungsverfahren in der Gemeinde Redenção-PA. **A -** Gewinnung über eine Tauchgrube; **B -** Direktes Abkippen des Sandes in eine Schaufel.

Quelle: Vom Autor (2016).

Die Aufbereitung von Bausand ist ein Prozess, der während des Abbaus durchgeführt wird und aus vier (4) Vorgängen besteht: Waschen, Sieben, Klassieren und Trocknen. Das Waschen ist ein Aufbereitungsvorgang im Trockenabbau und im Unterwasserabbau. Beim Flussbettabbau, bei dem der Sand direkt vom Steinbruch zu den Sieben in den Silos transportiert wird, handelt es sich nicht wirklich um einen

Aufbereitungsvorgang (FRAZÃO, 1998).

7.1 CAVASUBMERSA

Die Gewinnung von Sand in Unterwassergruben erfolgt *in der Natur* ausschließlich für Bauzwecke, weshalb er im Allgemeinen in der Nähe von städtischen Gebieten abgebaut wird.

Der Vorgang besteht aus dem Transport des gewonnenen Sandes und seiner anschließenden Aufbereitung. Das Wasser kommt aus der Grube selbst, die als geschlossener Kreislauf funktioniert, und das Material (Sand) befindet sich in Schichten aus sandigem Sediment. Diese Ablagerungen sind unterschiedlich dick und nur wenige Meter tief, was eine notwendige Voraussetzung für die Anwendung der Baggermethode ist.

Die hydraulische Baggerung ist durch ein Pumpsystem gekennzeichnet, das den Schlamm, der sich an der Oberfläche bildet, ansaugt. Die Ansaugstelle wird durch das Rohr erreicht, in dem der Schlamm transportiert und 40 (vierzig) Meter von der Gewinnungsstelle entfernt abgelassen wird.

Der Bagger ist mit Stahlseilen sicher an der Baustelle verankert. In der Trockenzeit wird das Mineral normalerweise bis zu einer Tiefe von 5 Metern abgebaut, im Winter wird diese Tiefe aufgrund der in der Region regelmäßig auftretenden Überschwemmungen vergrößert.

Nach der Baggerung erfolgt die Aufbereitung, die ein Waschverfahren mit Sandklassierung umfasst, bei dem das aus dem Feinmaterial (Tonfraktionen) gebildete Halmgut von der Kiesfraktion (Nebenprodukt) getrennt wird. Diese wird dann gelagert und die Hauptprodukte, die vermarktet werden sollen (feiner, mittlerer und grober Sand), werden versandt.

Die Saugbagger, die für diese Tätigkeit eingesetzt werden, verwenden keine aggressiven mechanischen Mittel, um das Material zu lösen. Technisch gesehen verwenden sie nur hydraulische Prinzipien, um loses oder leicht verfestigtes Material zu entfernen. Saugbagger fallen unter das Gesetzesdekret 5.796 vom 4. Januar 1994 (ALMEIDA, 2002).

Der Abbau erfolgt unter freiem Himmel, und mit fortschreitendem Abbau müssen die Unternehmen einen Plan zur Wiederherstellung geschädigter Gebiete

(Degraded Area Recovery Plan, PRAD) aufstellen, um zu verhindern, dass der Boden zu stark freigelegt wird und Erosion auftritt. Die Gewinnung von Mineralien erfolgt in geordneter Weise in unterirdischen Gruben von etwa 20 x 100 Metern (SEMAS, 2016).

7.2 BERGBAU UND SEINE RECHTLICHEN AUSWIRKUNGEN

Die brasilianische Umweltgesetzgebung stuft den Bergbau als eine Aktivität ein, die die Umwelt potenziell verändert und dem Umweltgenehmigungsverfahren unterliegt, und es muss ein Plan zur Wiederherstellung geschädigter Gebiete (PRAD) durchgeführt werden. Die grundlegenden Prinzipien der Bergbautätigkeit in Bezug auf den Umweltschutz sind in der Bundesverfassung von 1988 (CF/88) festgelegt, in der die Instrumente und Verpflichtungen des Bergbaus in Brasilien definiert sind (OBATA; SINTONI, 2003).

In Brasilien ist das Nationale Mineralienforschungsamt (DNPM) für die Erteilung von Genehmigungen für die Mineralienexploration zuständig. In Brasilien gibt es in jedem Bundesstaat eine Stelle, die für die Erteilung von Umweltgenehmigungen zuständig ist. Im Bundesstaat Pará wird diese Stelle durch das Staatssekretariat für Umwelt und Nachhaltigkeit (SEMAS) und die kommunalen Umweltsekretariate (SEMMA) in den Gemeinden vertreten, die über eine Umweltmanagementgenehmigung verfügen (SEMAS, 2016).

Das System der Mineralkonzessionen in Brasilien basiert jedoch auf dem Bergbaugesetzbuch (Decreto-La 227/67), in dem betont wird, dass der Untergrund und die darin enthaltenen Bodenschätze Eigentum der Union sind und dass jeder Bürger oder jedes Unternehmen auf Antrag von der Regierung eine Konzession für die Erforschung und den Abbau von Bodenschätzen erhalten kann, sofern die gesetzlichen Anforderungen erfüllt sind (VICZ, 1998).

Das brasilianische Bergbaugesetz, Gesetzesdekret 227/67, Art. 4, definiert eine Lagerstätte als "jede einzelne Masse an mineralischen oder fossilen Stoffen, die an der Oberfläche zu Tage tritt und/oder im Erdinneren vorhanden ist und einen wirtschaftlichen Wert besitzt". In Artikel 36 wird der Bergbau als "die Gesamtheit der aufeinander abgestimmten Maßnahmen zur industriellen Nutzung der Lagerstätte, von der Gewinnung der darin enthaltenen mineralischen Nutzstoffe bis zu ihrer

14

Aufbereitung" bezeichnet. In Artikel 20, Ziffer IX, heißt es, dass die "Bodenschätze, einschließlich derjenigen im Untergrund" Eigentum der Union sind, während in Artikel 22, Ziffer XII, festgelegt ist, dass es das ausschließliche Recht der Union ist, Rechtsvorschriften über "Lagerstätten, Bergwerke, sonstige Bodenschätze und das Hüttenwesen" zu erlassen, und in Artikel 23, Ziffer XI, heißt es, dass es das ausschließliche Recht der Union ist, Rechtsvorschriften über "Bodenschätze" zu erlassen. In Artikel 23, Punkt XI, heißt es, dass die Union, die Bundesstaaten, der Bundesdistrikt und die Gemeinden gemeinsam dafür zuständig sind, "die Konzessionen für die Erforschung und Ausbeutung von Wasser- und Bodenschätzen in ihren Gebieten zu registrieren, zu kontrollieren und zu überwachen" (BRASIL, 1967).

Das Gesetz Nr. 8.982/95 regelt die Verwendung von mineralischen Stoffen in Gesteinskörnungen, zu denen Sande, Kiese und Schotter für die unmittelbare Verwendung im Bauwesen gehören, bei der Herstellung von Gesteinskörnungen und Mörteln, sofern sie keinen industriellen Verarbeitungsprozessen unterzogen werden und auch nicht als Rohstoffe für die verarbeitende Industrie bestimmt sind, solange die Verwendung dieser mineralischen Stoffe auf eine Höchstfläche von fünfzig Hektar beschränkt ist (BRASIL, 1995).

Art. 225, § 2° des CF/88 erlegt denjenigen, die Bodenschätze ausbeuten, die Verantwortung auf, die durch den Bergbau verursachten Umweltschäden zu beseitigen, und zwar in Übereinstimmung mit der technischen Lösung, die von der zuständigen öffentlichen Stelle in Form eines Gesetzes gefordert wird.

Das Gesetz 6938/1981 befasst sich mit der Nationalen Umweltpolitik (PNMA), mit dem das Nationale Umweltlizenzsystem geschaffen wurde, und hebt hervor, dass für die Durchführung von Mineralienexplorationsaktivitäten eine Umweltlizenz erforderlich ist. Nach Sánchez (2008) hat die Umweltlizenzierung folgende Funktionen: Disziplinierung und Regulierung des Zugangs zur Nutzung von Umweltressourcen und Vermeidung von Umweltschäden.

Das Dekret 88.351/83 machte die Erteilung von Genehmigungen von der Erstellung einer Umweltverträglichkeitsstudie (UVP) und eines Umweltverträglichkeitsberichts (RIMA) abhängig. Der CONAMA-Beschluss 10/1990 erlaubt den Verzicht auf die UVP/RIMA nach Ermessen der zuständigen Stellen, die in diesem Fall durch den Umweltkontrollbericht (RCA) in der Phase der vorläufigen Genehmigung (LP) und den Umweltkontrollplan (PCA) in den Phasen der Installationsgenehmigung (LI) und der Betriebsgenehmigung (LO) ersetzt wird (BRASIL, 1983).

- LP - Entspricht der Planungsphase, Durchführbarkeitsanalyse für das Basisprojekt. Im speziellen Fall von Mineralien der Klasse II.
- LI - Entspricht der ausführenden Planungs- und Installationsphase. Sie umfasst konzeptionelle Vorschläge für die Umweltkontrolle und Sanierung. In dieser Phase muss die Abholzungsgenehmigung und bei Mineralien, die nach dem System der Bergbauverordnung gewonnen werden, eine Kopie der Genehmigung der PAE durch die DNPM vorgelegt werden;
- LO - wird bei Nachweis der Umsetzung der im PKA vorgesehenen Systeme und Vorlage einer Kopie der Bergbaukonzession oder der Registrierung der Konzession bei der DNPM erteilt (HOFFMANN, 2009).

7.3 UMWELTVERTRÄGLICHKEITSPRÜFUNG (EIA)

Die UVP ist ein umweltpolitisches Instrument, das aus Verfahren besteht, die sicherstellen, dass die Umweltauswirkungen einer vorgeschlagenen Maßnahme und ihrer Alternativen von Beginn an systematisch geprüft und die Ergebnisse der Öffentlichkeit in angemessener Weise präsentiert werden (MOREIRA, 2002). Nach Sanchez (2008) ist die UVP ein Verfahren zur Untersuchung der künftigen Folgen einer gegenwärtigen oder geplanten Maßnahme, das darauf abzielt, die Veränderungen, die bei der Entwicklung eines Projekts oder einer Tätigkeit auftreten können, zu verhindern und zu minimieren, da die Studie als Prognoseinstrument unerlässlich ist.

Das UVP-Verfahren ermöglicht den interessierten Parteien einen umfassenden Überblick über alle positiven und negativen Auswirkungen, die das Projekt auf die Umwelt, das soziale Umfeld und die Nachbarschaft haben kann (MOREIRA, 2002).

Nach Verdum und Medeiros (1992) *und* Costa und Chaves (2005) untersucht die UVP drei Hauptpunkte für die Erstellung eines Programms, das die Mehrfachnutzung natürlicher Ressourcen kontrolliert. Diese sind:

- Physikalische Umwelt - untersucht Klimatologie, Luftqualität, Lärm, Geologie, Geomorphologie, Wasserressourcen, Wasserqualität, Wassernutzung und Boden;
- Biotische Umwelt - untersucht das terrestrische Ökosystem, das aquatische Ökosystem und das Übergangsökosystem;
- Anthropische Umwelt - untersucht Bevölkerungsdynamik, Landnutzung und -besetzung, Lebensstandard, Produktions- und Dienstleistungsstruktur und soziale Organisation.

Die Methoden der Umweltverträglichkeitsprüfung unterscheiden sich je nach Projekt, da die Fachleute versuchen, die Ursache-Wirkungs-Beziehungen zwischen den Projektmaßnahmen und ihren Auswirkungen zu verstehen. Diese Methoden haben sich in dem Versuch entwickelt, eine Beziehung zwischen den Umweltfaktoren und einen ganzheitlichen Ansatz für die Umwelt zu erreichen (ABDON, 2004).

Die in der UVP angewandten Methoden beinhalten die Wechselbeziehungen, die Multidisziplinarität und die Subjektivität, die das Thema erfordert. Qualitative und quantitative Elemente ermöglichen es, das Ausmaß der Wichtigkeit dieser Parameter und die Wahrscheinlichkeit des Auftretens von Auswirkungen zu beobachten, und können angewandt werden, um Informationen, die in Studien generiert werden, zu sortieren (Checklisten), zu aggregieren (Matrizen und Diagramme), zu quantifizieren (Simulationsmodelle und multikriterielle Analysen) und darzustellen (*Overlay*, Matrizen, Interaktionsnetzwerke und Diagramme) (OLIVEIRA & MOURA, 2009).

Eines der gebräuchlichsten Instrumente für die UVP ist die Matrix. Eine Matrix besteht aus zwei Listen, Zeilen und Spalten. In der einen Liste sind die wichtigsten Tätigkeiten oder Maßnahmen aufgeführt, aus denen das zu untersuchende Projekt besteht, in der anderen die wichtigsten Komponenten oder Elemente des Umweltsystems. Ziel ist es, die möglichen Wechselwirkungen zwischen den Komponenten des Projekts und den Elementen des Umweltsystems zu ermitteln (SANCHEZ, 2008). Diese Methoden können in einer einzigen Fallstudie angewandt werden, wobei versucht wird, die beteiligten Umweltfaktoren zu erfassen, um eine vollständigere Bewertung der Umweltauswirkungen zu erhalten.

- Gemäß NBR ISO 14.001/2015 werden Umweltauswirkungen als "jede Veränderung der Umwelt, ob nachteilig oder vorteilhaft, die sich ganz oder teilweise aus den Tätigkeiten, Produkten oder Dienstleistungen einer Organisation ergibt" bezeichnet.

KAPITEL 8

CHARAKTERISIERUNG DES UNTERSUCHUNGSGEBIETS

Die Gemeinde Redenção liegt im Süden des Bundesstaates Pará in der südöstlichen Mesoregion Pará und in der homogenen Mikroregion Redenção, mit einer Fläche von 3.823,809 km^2 , einer Bevölkerung von 80.797 Einwohnern und einem *Bruttoinlandsprodukt* (BIP) pro Kopf von 13.933,46 R$ (dreizehntausendneunhundertdreiunddreißig) Reais. Im Norden grenzt sie an die Gemeinde Pau D'Arco und Floresta do Araguaia, im Süden an die Gemeinde Santa Maria das Barreiras, im Osten an die Gemeinde Conceição do Araguaia und im Westen an die Gemeinde Cumarú do Norte, geographische Koordinaten 08° 02' 30" südliche Breite und 50° 01' 30" westliche Länge (IBGE, 2016a). Die Region gilt aufgrund ihrer geografischen Lage als strategisch wichtig und wird von Bundes- und Staatsautobahnen durchquert, was sie zu einem potenziellen Knotenpunkt für die gesamte homogene Region Redenção macht (BRASIL et al., 1996). Abbildung 2 zeigt die Lage der Gemeinde Redenção in ihrem nationalen, bundesstaatlichen und kommunalen Kontext.

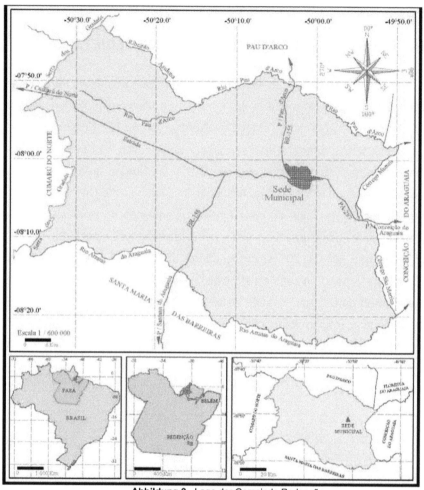

Abbildung 2 - Lage der Gemeinde Redenção
Quelle: SOUSA; LIMA, 2012.

KAPITEL 9

HYDRO-ÖKOLOGISCHE KOMPONENTEN

9.1 GEOLOGIE UND GEOMORPHOLOGIE

Die Geologie der Gemeinde lässt sich anhand von drei Haupteinheiten beschreiben: Alluvium aus dem Quartär, die Tocantins-Gruppe und der Redenção-Granit. Die Schwemmfächer der Gemeinde bilden sandige Bergrücken entlang der Ebenen und sind die Zersetzung alter geologischer Terrains. Die Tocantins-Gruppe besteht aus Phyllit- und Metarenit-Metamorphiten und weist ein hügeliges Gelände auf. Der südliche Teil besteht aus Granitgestein mit hohen Moränen, die sich gerade absenken. In diesem Teil befindet sich das größte Gebiet mit erhaltener Vegetation in der Gemeinde. Abbildung 3 zeigt die Geomorphologie der Gemeinde Redenção (REDENÇÃO, 2005).

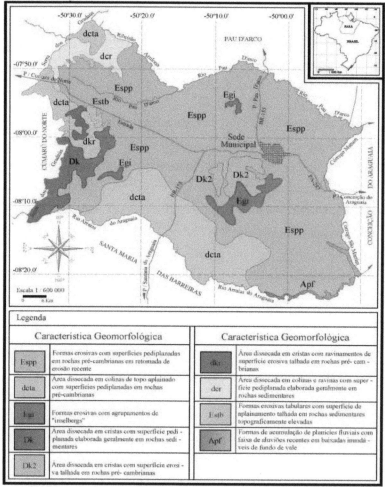

Abbildung 3 - Geomorphologische Charakterisierung des Gemeindegebiets von
Quelle: CAMARGO, 2008; BRASIL, 1974.

9.2 RELIEF UND TOPOGRAPHIE

Das Relief der Gemeinde Redenção ist durch Gebiete mit Steigungen zwischen 8 und 25 % gekennzeichnet, die sich aus Hügeln und Hügelgruppen, niedrigen Hügeln, niedrigen und mittleren Höhenlagen zusammensetzen. Die flachen Gebiete befinden sich in der Randregion unterhalb des Flusses Pau D'arco an der Nordgrenze und unterhalb des Flusses Arrais do Araguaia an der Südgrenze (BRASIL, 1974). Im Gemeindegebiet von Redenção gibt es kristalline

22

Felsen, von Schluchten durchzogene Gebiete in den Ausläufern der Serra dos Gradaús und der Serra dos Piaus und gelegentlich morphostrukturelle *"Inselberge"*, *die in die* Grenzen der peripheren Depression des südlichen Pará fallen. Sie treten im Südosten und Nordosten auf 147 m und 200 m über dem Meeresspiegel weniger stark in Erscheinung. In der Gemeinde Redenção ist die Topographie im größten Teil ihres Gebiets relativ flach. Abbildung 4 zeigt die Topographie der Gemeinde mit vier verschiedenen Höhenlagen innerhalb des Gebiets (BRASIL et al., 1996).

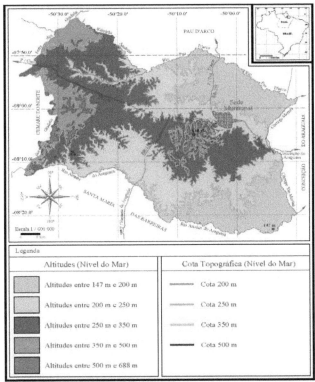

Abbildung 4 - Topografische Charakterisierung der Gemeinde Redenção
Quelle: Sousa; Lima, 2012; EMBRAPA, 2011.

9.3 BÖDEN

Die Böden in der Gemeinde Redenção bestehen aus dystrophischen rot-gelben Argisolen + eutrophischen rot-gelben Argisolen +

dystrophe rot-gelbe Latosole (PVAD45), mit sanftem, hügeligem Relief. Die Serra

23

dos Gradaús besteht aus dystrophen neolithischen Böden + dystrophen rot-gelben Argisolen + Felsen (RLd20), mit bergigem Relief und stark hügeligem Gelände. Im östlichen Teil des Gemeindegebiets, in der Nähe der Bäche Mutum und São Martim, besteht sie aus konkretionären pintosolos pétricos + dystrophischen rot-gelben argissolos + dystrophischen gleissolos háplicos Tb (FFc14), mit sanftem, hügeligem Relief. In den Schwemmlandbereichen des Flusses Arraias do Araguaia finden wir Ta dystrophic gleissolos háplicos + sodic salic gleissolos + thiomorphic ortic gleissolos (GXvd5), mit flachem Relief. Abbildung 5 zeigt die vier Bodentypen in der Gemeinde Redenção/PA (EMBRAPA, 2011).

Abbildung 5 - Bodenarten in der Gemeinde Redenção
Quelle: SOUSA; LIMA, 2012; EMBRAPA, 2011.

9.4 HYDROGRAPHIE

Die Hydrographie von Redenção wird von drei Hauptflüssen bestimmt:

24

dem Pau D'arco, dem Ribeirão Azulona und dem Arraias do Araguaia, die im orographischen System der Serra dos Gradaús entspringen.

Der Fluss Pau D'arco und sein Nebenfluss, der Ribeirão Azulona, bilden die nördliche Grenze der Gemeinde Pau D'arco. Seine Hauptzuflüsse innerhalb der Gemeinde sind: Ribeirão de Fogo, Córrego Diamante, Ribeirão Três de Maio und der Fluss Pau D'arquinho.

Dieses Wassereinzugsgebiet umfasst eine Fläche von 2.021 km^2. Der Fluss Pau D'arquinho fließt vollständig im Gemeindegebiet, und seine Nebenflüsse: Córrego Acaba Saco, Córrego Redenção und Córrego dos Gagos durchqueren das Gemeindegebiet (REDENÇÃO, 2005).

Im Süden der Gemeinde fließt der Fluss Arraias do Araguaia, der an die Gemeinde Santa Maria das Barreiras grenzt, und seine wichtigsten Nebenflüsse innerhalb der Gemeinde sind: Córregos Pêra I und II, Córrego Água Preta, Córrego Baixa Verde, Ribeirão de Fogo, Ribeirão Salgado, Córrego São Martim.

Dieses Wassereinzugsgebiet umfasst eine Fläche von 1780,24 km^2 (Abbildung 6) und zeigt das hydrographische Netz der Gemeinde Redenção (BRASIL etal., 1996).

Abbildung 6 - Hydrographisches Netz der Gemeinde Redenção
Quelle: CAMARGO, 2008; IBGE, 2011.

9.5 VEGETATION

Die Vegetation in der Gemeinde Redenção besteht aus dichtem, ombrophilem Wald mit anthropogener Sekundärvegetation und landwirtschaftlichen Aktivitäten (D), der sich aus mittelgroßen Bäumen und Sekundärvegetation zusammensetzt.

der Gattungen *hevea brasiliensis*, *bertholetia* und *dinizia*, sind diese Gebiete von anthropogenen und landwirtschaftlichen Aktivitäten betroffen. Dieser Waldtyp kommt in einem ombrophilen Klima vor, in dem es keine biologisch trockene Periode im Jahr gibt und ausnahmsweise bis zu zwei Monate mit geringer Luftfeuchtigkeit, was auf die hohe Luftfeuchtigkeit in den zerklüfteten Umgebungen der Gebirgsketten der Gemeinde zurückzuführen ist (Abbildung 7), die die drei Vegetationstypen in der Gemeinde Redenção zeigt (IBGE, 2011).

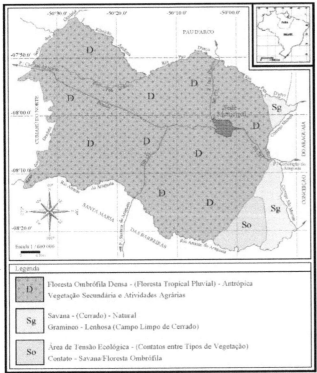

Abbildung 7 - Vegetation im Gemeindegebiet von Redenção
Quelle: SOUSA; LIMA, 2012; IBGE, 2011.

9.6 KLIMA

Nach der Koppen-Klassifikation hat die Gemeinde Redenção ein Klima des Am-Typs, am Rande des Übergangs zu Aw. Die durchschnittlichen Höchst- und Tiefsttemperaturen liegen zwischen 31,1°C und 35,2°C bzw. 17,7°C und 20,8°C, mit einem Jahresdurchschnitt von 25,7°C. Die jährliche Gesamtniederschlagsmenge beträgt 1.754,9 mm, die sich auf zwei Perioden verteilen: eine regenreiche Periode von Oktober bis April mit einer jährlichen Gesamtmenge von 1.553,2 mm und eine weniger regenreiche Periode von Mai bis September mit einer jährlichen Gesamtmenge von 201,7 mm Regen. Die monatliche relative Luftfeuchtigkeit schwankt zwischen 77 % und 91 %, wobei in der Regenzeit höhere Werte beobachtet werden, wie in Tabelle 1 dargestellt (REDENÇÃO, 2005).

Tabelle 1 - Monatliche Durchschnittswerte der Klimastation Redenção von 2008 bis 2011

Monate	Maximum	Lufttemperatur Minimum (°C)	Durchschnitt	Relative Luftfeuchtigkeit (%)	Niederschlag (mm)
Januar	31.2	20.5	25.1	90	222.8
Februar	31.1	20.3	25.2	91	235.6
März	31.3	20.5	25.4	87	268.6
April	31.9	20.8	25.8	90	193.4
Mai	33.0	20.3	26.1	83	66.7
Juni	33.6	18.3	25.5	83	18.6
Juli	34.3	17.7	25.4	77	18.0
August	35.2	17.9	26.1	78	19.3
September	34.2	19.7	26.4	83	79.1
Oktober	32.7	20.8	26.0	83	169.0
November	32.1	20.5	25.8	88	193.2
Dezember	31.5	20.3	25.3	90	270.6
Jahr	32.7	19.8	25.7	85	1754.9

Quelle: INMET, 2012.

KAPITEL 10

ERGEBNISSE UND DISKUSSIONEN

Für diese Studie wurden Daten aus dem DNPM und aus den KMZ-Dateien für Bergbauprozesse über SIGMINE erfasst, und die Gebiete, für die das DNPM bis zum 11. August 2016 eine Genehmigung zur Lizenzregistrierung erteilt hat, können mit dem Tool Google Earth PRO projiziert werden (Abbildung 8).

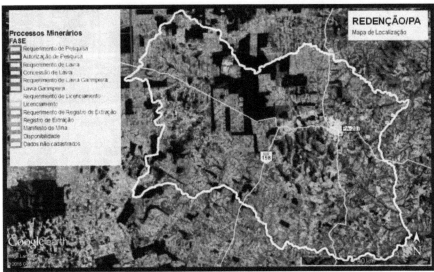

Abbildung 8 - Lizenzregistrierungspolygone für die Sandgewinnung in versenkten Gruben
Quelle: Google Earth Pro, DNPM, 2016.

Es wurden acht (8) bei der DNPM beantragte Verfahren mit einer Größe von mehr als sieben (7) Hektar ermittelt (siehe Abbildung 9).

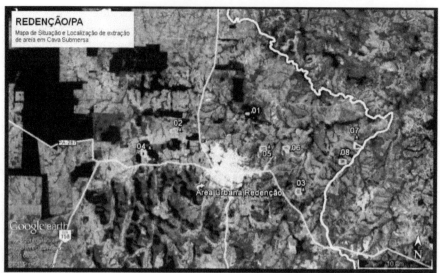

Abbildung 9 - Verfahren mit Lizenzregistrierung für den Sandabbau.
Quelle: Google Earth Pro, DNPM, 2016.

Die benötigten Flächen liegen jedoch etwa 12 (zwölf) Kilometer vom Stadtrand entfernt, wie in Abbildung 10 zu sehen ist, wo sich die Flächen mit dem Boden, der Vegetation und den Gewässern überlagern.

Abbildung 10 - 12 (zwölf) km Radius von den städtischen Perimetern über den Lizenzregistern
Quelle: Google Earth Pro, DNPM, 2016.

Da der Sandabbau in der Nähe des Stadtgebiets stattfindet, hat er größere

30

Auswirkungen auf die Umwelt, wie z. B. die Zunahme des Schwerlastverkehrs auf den städtischen Straßen, was zu einer Erhöhung von Lärm, Staub usw. führt. Die Bergbautätigkeit verändert den Boden, die Fauna und die Flora, und der intensive Einsatz von Verfahren, die nicht den geltenden Umweltgesetzen entsprechen, hat erhebliche Umweltauswirkungen.

Die folgenden Abbildungen (11 bis 19) zeigen den Abbau von Mineralien der Klasse II (Sand) in versenkten Gruben und einige der bereits genehmigten Standorte in der Gemeinde Redenção/PA. Die Besuche *vor Ort ergaben,* dass die befragten Unternehmen nicht mit den bei der SEMMA eingereichten Umweltprojekten in der Gemeinde Redenção übereinstimmen.

So wurde festgestellt, dass die Unternehmer nicht über qualifizierte technische Unterstützung für die Ausübung ihrer Tätigkeit verfügen und aufgrund des Fehlens einer wirksamen Überwachung ohne Rücksicht auf ihre eigene Gesundheit und die Umwelt arbeiten und ihrerseits bestimmte Verfahren im Zusammenhang mit der Umweltgesetzgebung, dem Umgang mit gefährlichen Abfällen und anderen Faktoren, die für die Erhaltung des ökologischen Gleichgewichts entscheidend sind, nicht einhalten.

Nach Sousa (2016) ist die mineralische Aktivität der Klasse II in Redenção durch die folgenden Prozesse gekennzeichnet (Tabelle 7).

Schaubild 5 - Bergbauprozesse

PROZESSE DER PHYSISCHEN UMWELT
^ Erosion durch Wasser auf ebenen Flächen und Hängen durch Aushub;
^ Sturz von Blöcken oder Trümmern;
^ Massengleiten von Hängen;
^ Abfluss von Oberflächenwasser;
^ Unterirdische Wasserbewegung;
^ Physikalisch-chemische Wechselwirkungen in Wasser und Boden;
^ Zirkulation von Teilchen und Gasen in der Atmosphäre;
Verstärkung und Auslösung von Erdbeben und Erschütterungen durch Maschinen und Motoren.
TECHNOLOGISCHE PROZESSE
^ Betrieb des Unternehmens;
^ Entkappung im Abbaugebiet;
^ Grubenbildung;
Innerbetrieblicher Transport von Erzen und Abraum;
^ Abfallentsorgung (fest, flüssig und gasförmig);
^ Lagerhaltung von Rohstoffen;
^ Produktverladung und -transport;

Quelle: Von der Autorin, 2016.

Abbildung 11 - Sandabbau in einer versunkenen Grube in Redenção/PA, was auf eine Verschmutzung der Wasserressourcen hinweist.
Quelle: Von der Autorin, 2016.

Abbildung 11 zeigt, wie der Sandabbau das Gewässer verschmutzt, weil der für den Betrieb des Baggers verwendete Kraftstoff ausläuft. Dieses Verfahren kann zum Tod von Fischarten führen und die Wasserqualität verändern.

Abbildung 12 - Sandabbau in einer versenkten Grube in Redenção/PA, die eine punktuelle Verschmutzungsquelle darstellt, indem gefährliche Abfälle in den Wasserkörper eingeleitet werden
Quelle: Von der Autorin, 2016.

Abbildung 12 zeigt, dass das Unternehmen eine Fähre benutzt, die für den Betrieb ungeeignet ist, was zu einer punktuellen Verschmutzung durch die Verklappung von gefährlichen Abfällen wie Treibstoff, Fett usw. führt. Dieser Prozess verändert die Qualität der Wasserressourcen und hat sozioökonomische Auswirkungen aufgrund des Fischsterbens, das sich auf das Einkommen der Fischer auswirkt.

Abbildung 13 - Lastwagen, der Sand in einer Entfernung von ca. 40 m von der Grube aufnimmt, um ihn in das 12 km entfernte Depot zu bringen, wobei zu beobachten ist, dass die Mitarbeiter keine persönliche Schutzausrüstung tragen.

Quelle: Von der Autorin, 2016.

Die in Abbildung 13 dargestellte Umweltauswirkung ist die Auswirkung auf die menschliche Umwelt, wenn die Mitarbeiter keine persönliche Schutzausrüstung (PSA) oder kollektive Schutzausrüstung (PSA) verwenden.

Die Art der Exposition kann zu Arbeitsunfällen und witterungsbedingten Krankheiten führen. Der Unternehmer muss die NR 06 einhalten, die besagt, dass das Unternehmen den Arbeitnehmern die für die Risiken, denen sie ausgesetzt sind, geeignete PSA zur Verfügung stellen muss, wie z. B.: Hüte, Sonnenfilter, Sonnenbrillen mit UV-Schutzgläsern, Handschuhe usw.

Abbildung 14 - Sandabbau in einer versunkenen Grube in Redenção/PA, ein für diese Art von Tätigkeit ungeeignetes Floß

Quelle: Von der Autorin, 2016.

Die in Abbildung 14 gezeigte Umweltauswirkung ist die unsachgemäße Nutzung der Fähre für den Abbau, die zu einer Veränderung des Wassers durch die Brennstoffe sowie zur Abholzung der Wälder in der Nähe der Grube führt. Diese Praktiken wirken sich auf die biotische Umwelt aus und beeinträchtigen die Fauna, indem sie wilde Tiere verscheuchen und Fische töten.

Abbildung 15 - Ablagerung gefährlicher Abfälle in der Nähe eines Gewässers

Quelle: Von der Autorin, 2016.

Die in Abbildung 15 dargestellte Umweltauswirkung ist die unsachgemäße Nutzung der Fähre, die zu einer Veränderung des Wassers durch Öle und Fette führt. Diese Praktiken wirken sich auf die biotische Umwelt aus und führen zu Erosion auf ländlichen Grundstücken, und es ist zu erkennen, dass die Betreiber die Arbeiten ohne PSA und CPE durchführen, was zu Arbeitsunfällen und Krankheiten führen kann.

Abbildung 16 - Ableitung von Sand in den Hafen ohne Rückhaltevorrichtung
Quelle: Von der Autorin, 2016.

Abbildung 16 zeigt, dass die Verklappung von Sand im Hafen keine Rückhaltebarriere hat, was neben dem Verlust von Material auch Auswirkungen auf die Trübung des Wassers auf dem Grundstück haben kann.

Abbildung 17 - Umweltauswirkungen der Unterdrückung der Vegetation zur Errichtung von versenkten Gruben ohne Umweltgenehmigung
Quelle: Von der Autorin, 2016.

Abbildung 17 zeigt ein Gebiet, in dem die Vegetation zum Zwecke des Steinbruchs abgeholzt wurde. Dies geschah ohne Genehmigung der zuständigen Behörde und ohne ein spezifisches Projekt. Diese Art von Praktiken kann zu einer Geldstrafe für den Eigentümer des Gebiets sowie zur Beschlagnahmung der

Maschinen führen. Diese Tätigkeit wirkt sich auf die Fauna und Flora aus, da die Arten durch den Lärm der Maschinen und indirekt durch die Unterdrückung der Vegetation verscheucht werden.

Abbildung 18 - Beginn des Sandabbaus ohne Registrierung bei der DNPM und ohne Umweltgenehmigung, was zu zahlreichen Umwelthaftungen führt

Quelle: Von der Autorin, 2016.

Abbildung 18 zeigt, wie ein Gebiet nach dem Sandabbau in einer versenkten Grube ohne DNPM-Registrierung aussah. Die Auswirkungen dieser Praxis sind der Verlust der lokalen biologischen Vielfalt, visuelle Beeinträchtigungen sowie Umwelthaftung auf dem Grundstück, die sich aus der Praxis ohne spezifische technische Unterstützung ergibt.

Abbildung 19 - Verlust der Vegetationsdecke in dem Gebiet und damit verbundenes Absterben der Flora und Fehlen der Fauna.

Quelle: Von der Autorin, 2016.

Abbildung 19 zeigt ein Feld mit einigen Sandhaufen und Vegetation im Hintergrund. Dieses Gebiet wurde ohne DNPM-Registrierung unter Wasser abgebaut. Die Auswirkungen dieser Praxis sind der Verlust der lokalen biologischen

Vielfalt, die Verscheuchung von Arten, visuelle Auswirkungen sowie die Umwelthaftung auf dem Grundstück, die sich aus der Praxis ohne Überwachung durch einen qualifizierten Techniker ergibt.

10.1 UMWELTVERTRÄGLICHKEITSPRÜFUNG MIT DER OVERLAY-MAPPING-METHODE

Das Bild vom 12. Juli 2013 zeigt, dass der Sandabbau in versunkenen Gruben bereits begonnen hatte, bevor die DNPM am 26. August 2015 die Legalisierung erteilte, wobei 2013 insgesamt 12 0308 Hektar ausgebeutet wurden. Das gleiche ist auf dem Bild vom 15. August 2015 zu sehen.

2014, mit einer bewirtschafteten Gesamtfläche von 1,3528 Hektar. Auf dem Bild vom 2. August 2015 ist jedoch zu erkennen, dass aufgrund der Intensivierung der Kontrollen keine Aktivität am Standort stattfindet.

Aus Gründen der Regularisierung zur Erfüllung der Bedingungen der Umweltgenehmigung zeigt das Bild vom 26. Juli 2016 einen Mangel an Aktivität in diesem Gebiet (Abbildung 20).

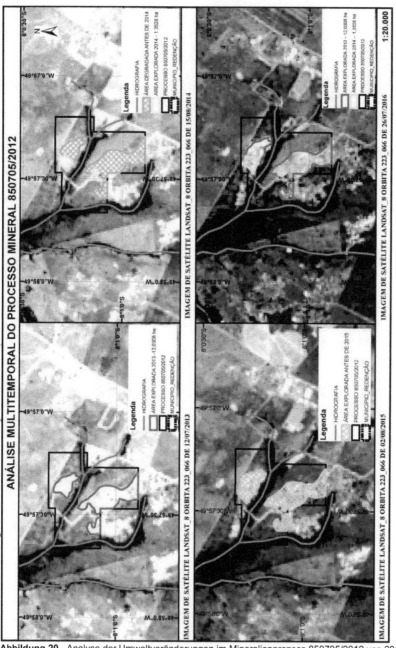

Abbildung 20 - Analyse der Umweltveränderungen im Mineralienprozess 850705/2012 von 2013 bis 2016
Quelle: Von der Autorin, 2016.

Auf dem Bild vom 12. Juli 2013 (Abbildung 21) ist der Beginn der Aktivitäten mit der Gewinnung von etwa 2,2548 Hektar zu sehen, die nach Erhalt des Dokuments von der DNPM stattfand. Auf den Bildern vom 15. August 2014 und vom 02. August 2015 (Abbildung 21) ist jedoch zu erkennen, dass keine Abbautätigkeiten stattfanden, da der Sandabbau eingestellt wurde, um Platz für den Abbau von Ton zu schaffen, um die Nachfrage der Keramikindustrie zu decken. Das Bild vom 26. Juli 2016 (Abbildung 21) zeigt jedoch, dass auf einer Fläche von 1,4188 Hektar Sand abgebaut wurde, was auf den Anstieg des Preises für dieses Erz zurückzuführen ist, der den Eigentümer dazu veranlasste, zu dieser Art des Abbaus zurückzukehren, um die wachsende Nachfrage in der Gemeinde zu decken.

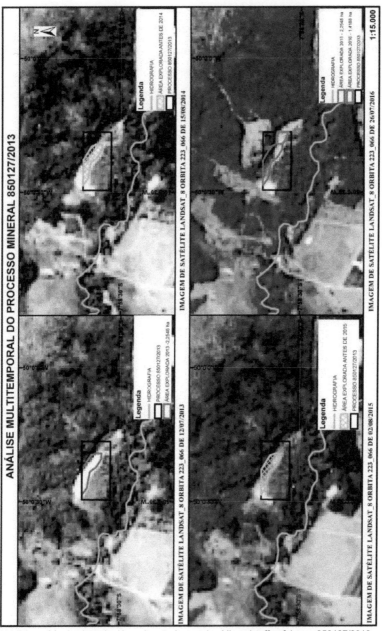

Abbildung 21 - Analyse der Umweltveränderung des Mineralstoffverfahrens 850127/2013 von 2013 bis 2016
Quelle: Von der Autorin, 2016.

Die Bilder vom 12. Juli 2013 und 15. August 2014 (Abbildung 22) zeigen, dass kein Sand abgebaut wurde, da das Unternehmen die Legalisierung des Gebiets durch die DNPM abwarten wollte.

Das Bild vom 02. August 2015 (Abbildung 22) zeigt, dass 2,4721 Hektar innerhalb des Gebiets ausgebeutet wurden, aber das Unternehmen wurde von der DNPM benachrichtigt, weil es außerhalb des polygonalen Gebiets ausgebeutet hat.

Das Bild vom 26. Juli 2016 zeigt jedoch, dass in diesem Gebiet kein Abbau stattgefunden hat.

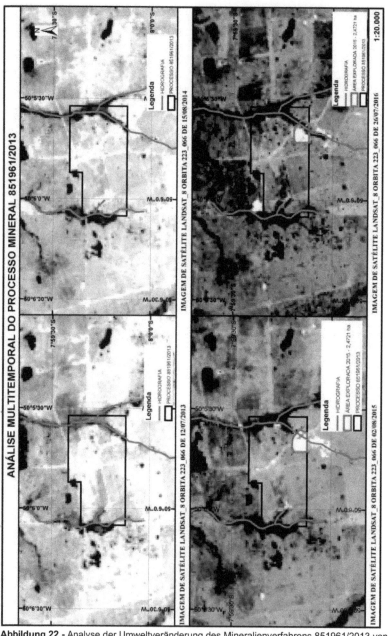

Abbildung 22 - Analyse der Umweltveränderung des Mineralienverfahrens 851961/2013 von 2013 bis 2016
Quelle: Von der Autorin, 2016.

Das Bild vom 12. Juli 2013 (Abbildung 23) zeigt, dass in dem Gebiet keine Aktivitäten stattfanden, da das Unternehmen nicht tätig war, bevor es eine Genehmigung von der DNPM erhalten hatte. Das Bild vom 15. August 2014 (Abbildung 23) zeigt jedoch, dass 1,5667 Hektar abgebaut wurden, was deutlich macht, dass das Unternehmen in diesem Zeitraum unregelmäßig tätig war, da die Genehmigung für diese Praxis am 5. Juni 2015 erteilt wurde.

Das Bild vom 2. August 2015 (Abbildung 23) zeigt den Abbau von 0,4666 Hektar, obwohl das Unternehmen zu diesem Zeitpunkt bereits eine Genehmigung für diese Tätigkeit erhalten hatte.

Das Bild vom 26. Juli 2016 (Abbildung 23) zeigt die Gewinnung von 0,2567 Hektar.

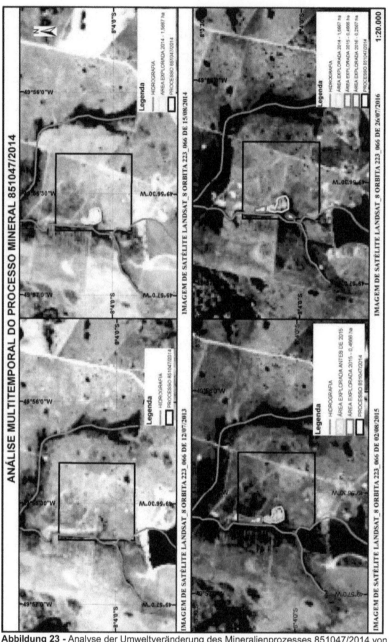

Abbildung 23 - Analyse der Umweltveränderung des Mineralienprozesses 851047/2014 von 2013 bis 2016
Quelle: Von der Autorin, 2016.

44

Die Analyse des Bildes vom 12. Juli 2013 (Abbildung 24) ergab, dass das Unternehmen illegal arbeitete und 5,9124 Hektar abbaute, da es erst am 12. November 2015 eine Genehmigung für diese Tätigkeit erhielt.

Angesichts dieser Situation gab es Beschwerden über die Rechtswidrigkeit bei SEMMA, weshalb die Tätigkeit eingestellt wurde, was auf den Bildern vom 15. August 2014, 02. August 2015 und 26. Juli 2016 zu sehen ist (Abbildung 24).

55

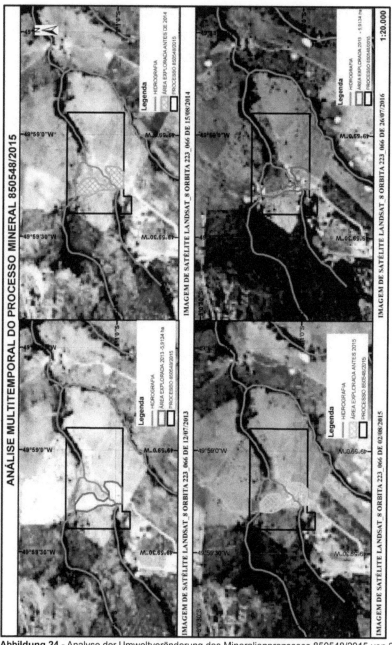

Abbildung 24 - Analyse der Umweltveränderung des Mineralienprozesses 850548/2015 von 2013 bis 2016
Quelle: Von der Autorin, 2016.

Das Bild vom 12. Juli 2013 (Abbildung 25) zeigt, dass vor der Registrierung bei der DNPM, die am 29. Oktober 2015 erteilt wurde, 0,2041 Hektar entnommen wurden.

Am 15. August 2014 wurden 0,5122 Hektar unregelmäßig abgebaut und am 02. August 2015 gab es keine Aktivitäten (Abbildung 25).

Das Bild vom 26. Juli 2016 zeigt die Gewinnung von 2,0633 Hektar, und der Betrieb hat sich anders entwickelt, da das Ziel darin besteht, mehrere Viehtränken an strategischen Punkten des Grundstücks zu erhalten (Abbildung 25).

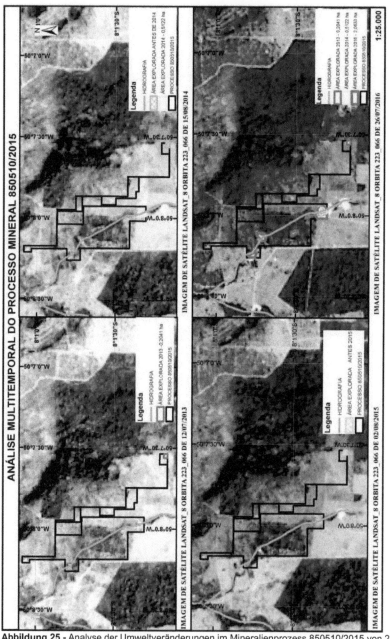

Abbildung 25 - Analyse der Umweltveränderungen im Mineralienprozess 850510/2015 von 2013 bis 2016
Quelle: Von der Autorin, 2016.

48

Das Bild vom 12. Juli 2013 zeigt, dass vor der Genehmigung durch die DNPM, die am 03. September 2015 erfolgte, 2,2546 Hektar abgebaut wurden.

Das Bild vom 15. August 2014 zeigt hingegen, dass keine Extraktion stattgefunden hat.

Andererseits zeigt das Bild vom 02. August 2015 die Gewinnung von 1,0784 Hektar (Abbildung 26), und in diesen Jahren fand die Aktivität im Verborgenen statt.

Das Bild vom 26. Juli 2016 zeigt die Gewinnung von 1,4188 Hektar, und in diesem Zeitraum war die Tätigkeit legal (Abbildung 26).

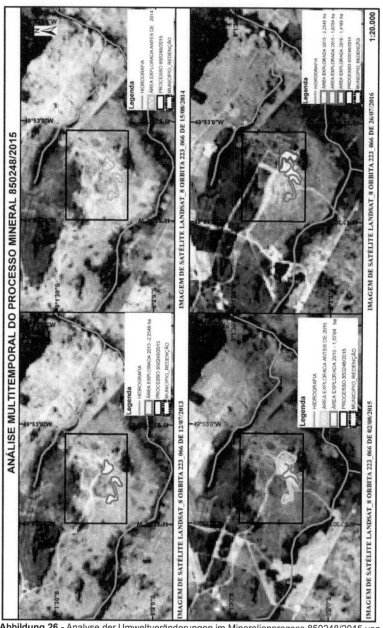

Abbildung 26 - Analyse der Umweltveränderungen im Mineralienprozess 850248/2015 von 2013 bis 2016
Quelle: Von der Autorin, 2016.

Es wurde festgestellt, dass das Erschließungsunternehmen die Genehmigung im selben Jahr wie den Antrag erhalten hat, aber wenn man sich frühere Jahre ansieht, wie z. B. das Bild vom 12. Juli 2013 (Abbildung 27), kann man sehen, dass 2,4059 Hektar innerhalb des erforderlichen Polygons sowie eine Entnahme außerhalb des Polygons entnommen wurden.

Am 15. August 2014 wurden 4,2912 Hektar und am 02. August 2015 2,4755 Hektar gerodet.

Diese Praxis wurde jedoch illegal angewandt, und deshalb wurde das Unternehmen von den Kontrollstellen bestraft.

So zeigt das Bild vom 26. Juli 2016 den fehlenden Abbau aufgrund des Stillstands der Aktivitäten des Unternehmens, das erst am 4. August 2016 die Genehmigung für die Nutzung des Gebiets erhielt.

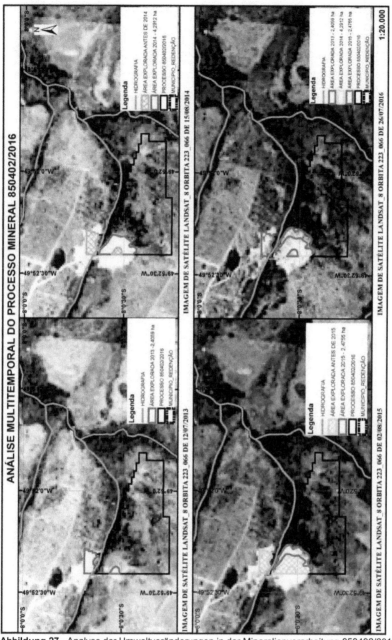

Abbildung 27 - Analyse der Umweltveränderungen in der Mineralienverarbeitung 850402/2016 von 2013 bis 2016
Quelle: Von der Autorin, 2016.

Die Analysen zeigen, dass viele Gebiete ohne eine Lizenzregistrierung durch die DNPM erschlossen wurden und dass das Fehlen von Projekten und technischer Unterstützung für die Tätigkeit zu Umweltbelastungen und erheblichen Auswirkungen führte.

Mit Hilfe der Methoden des Fotolesens, der Fotoanalyse und der Fotointerpretation konnte durch die Analyse der Karten (20 bis 27), die in Tabelle 2 hervorgehoben sind, die Anzahl der Flächen ermittelt werden, die ohne Registrierung bei der DNPM abgebaut wurden. Dies ist darauf zurückzuführen, dass die illegalen Praktiken im Laufe der Jahre aufgrund der verstärkten Kontrollen zurückgegangen sind.

Tabelle 2 - Bei der DNPM registrierte Sandabbaugebiete ohne Lizenz in der Gemeinde Redenção

Jahre	Sandabbaugebiete in Hektar
2013	22,8078 ha
2014	7,7228 ha
2015	3,5539 ha
2016	0 ha
Gesamtfläche mit illegalem Sandabbau	**34,0845 ha**

Quelle: Von der Autorin, 2016.

10.2 BEWERTUNG DER UMWELTAUSWIRKUNGEN ANHAND VON *CHECKLISTEN* UND INTERAKTIONSMATRIZEN

Bei den Vor-Ort-Besichtigungen der Abbaugebiete (Sand) in Redenção wurden anhand von *Checklisten* 20 (zwanzig) signifikante Umweltauswirkungen durch den Sandabbau in Versenkgruben festgestellt.

Mit dieser Methode wurden die Auswirkungen, die entweder aufgrund ihres Ausmaßes oder ihres Umfangs in den Gebieten am stärksten auffielen, in einer Checkliste erfasst, wobei ausschlaggebend war, dass sie in der Mehrzahl der untersuchten Gebiete vorkamen:

- PHYSISCHE UMWELT

- Veränderungen der Wasserqualität;
- Lärmbelästigung;
- Atmosphärische Verschmutzung;

- Erzeugung fester Abfälle;
- Verschlammung;
- Verschmutzung des Bodens;
- Verringertes Wasserrückhaltevermögen des Bodens;
- De-Strukturierung des Bodens;
- Erosion des Bodens;
- Reduzierte mikrobiologische Aktivität;
- Vermehrtes Auftreten von Wind;
- Verringertes Eindringen von Wasser in den Boden;
- Beschleunigung von Erosionsprozessen in Schluchten durch die Rückführung von gepumptem Wasser;
- Verschlechterung der Bodenqualität durch Abnahme der Fruchtbarkeit, der Plastizität und der Durchlüftung des Bodens infolge der Verdichtung durch den Einsatz schwerer Maschinen und der Beseitigung organischer Stoffe in den Bereichen, in denen der Boden freigelegt wurde;
- Verringerung der Bodenausbreitung aufgrund der Beseitigung der Vegetation, um das Straßennetz zu erschließen und Sandgewinnungsanlagen zu errichten;
- Regenwasser;
- Feste Industrieabfälle;
- Feste Haushaltsabfälle;
- Landnutzung und Belegung;
- Änderung der natürlichen Entwässerung.

- BIOTISCHE UMWELT

- Beseitigung und/oder Reduzierung der Fauna;
- Wettbewerb zwischen und innerhalb von Arten;
- Verlust von natürlichen Lebensräumen;
- Verringerung der Unterschlupf-, Nist- und Futterplätze;
- Verjagen von Wildtieren;
- Erhöhte Dichte der Fauna in Waldfragmenten;
- Beseitigung und/oder Reduzierung der Flora;

- Abbau von PPAs;
- Vorübergehende Beseitigung von Fischrückzugsgebieten;
- Erhöhte Konzentration von Schwebeteilchen (Trübung) im Wasserlauf;
- Verschmutzung von Wasserläufen durch Abfälle (Öle, Fette);
- Visuelle Auswirkungen im Zusammenhang mit der Errichtung von Bauwerken, der Beseitigung von Vegetation, der Aufschüttung von Sand und der Beeinträchtigung der natürlichen Landschaft;
- Verschlechterung der physikalischen, chemischen und biologischen Qualität des Oberflächenwassers durch die Einleitung von Abwässern infolge des Einsatzes von Sandgewinnungsanlagen in den Gruben;
- Begünstigung des Prozesses der Wiederbesiedlung des "Lebensraums" durch die Mikrobiota aufgrund der Wiederherstellung der Vegetationsdecke in der Stilllegungsphase;
- Verbesserte Landschaftsgestaltung des Geländes durch die Wiederherstellung und Sanierung der für die Entwicklung genutzten Fläche;
- Die Möglichkeit, die soziale Interaktion zu fördern, indem man das Gebiet nach seiner Wiederherstellung und Sanierung genießt;

- Belastung der Wasserfauna durch die Erzeugung von Turbulenzen im Fließgewässer bei der Sandgewinnung;
- Die Tötung von Wildtieren;
- Auswirkungen auf gefährdete Arten der Fauna;
- Bau von künstlichen Barrieren.

- KÜNSTLICHE UMWELT

- Verbesserung der regionalen und lokalen Wirtschaft;
- Aufbau des Straßennetzes;
- Verbesserter Vermögenswert;
- Erzeugung von Rohstoffen;
- Steuererhebung;
- Verbesserte Lebensqualität;

- Vorherrschen von Latifundien;
- Maßnahmen der Aufsichtsbehörde;
- Kontamination von Arbeitnehmern aufgrund der Nichtverwendung von CPE und PSA;
- Ästhetische und visuelle Auswirkungen;
- Unzureichende Entsorgung von flüssigen und festen Abfällen;
- Lärmemission;
- Beeinträchtigung des Verkehrs;
- Verkehrsunfälle;
- Fehlende Beschilderung;
- Unfallgefahr für Badegäste durch die Bildung von Löchern durch die Bagger;
- Gesundheitsprobleme und Arbeitsmedizin;
- Unfälle mit Gifttieren aufgrund von Schutt und Trümmern, die bei der Förderung anfallen;

- Gefahr von Arbeitsunfällen aufgrund des hohen Anteils an manueller Arbeit;
- Vermehrte Bereitstellung von Sand mit positiven Auswirkungen auf die Gesellschaft im Allgemeinen durch seine Verwendung für verschiedene Zwecke und die damit verbundene Verbesserung der Lebensqualität.

Um die Umweltauswirkungen zu bewerten, wurde eine Interaktionsmatrix für die Bergbautätigkeit der (Sand-)Gewinnung von 2013 bis 2016 entwickelt, die mit der *Overlay-Mapping-Methode* quantitativ und qualitativ die wesentlichen Auswirkungen der Tätigkeit der Mineralgewinnung (Sand) verifiziert hat. Die wichtigsten analysierten Kriterien waren dabei (SÁNCHEZ, 2008):
- Ausdruck: beschreibt den positiven oder negativen Charakter der einzelnen Auswirkungen auf die Umwelt.
- Ursprung: Dies bezieht sich auf die Ursache oder Quelle der Auswirkung, ob direkt oder indirekt; direkte Auswirkungen sind diejenigen, die sich aus den Handlungen des Unternehmers ergeben; indirekte

Auswirkungen sind diejenigen, die sich aus einer direkten Auswirkung ergeben, d.h. Auswirkungen zweiter oder dritter Ordnung.

- Dauer: Auswirkungen können vorübergehend oder dauerhaft sein; vorübergehende Auswirkungen sind solche, die sich während der Projektphasen manifestieren; dauerhafte Auswirkungen stellen eine endgültige Veränderung einer Umweltkomponente dar.

- Zeitskala: Unmittelbare Auswirkungen sind solche, die gleichzeitig mit der sie verursachenden Handlung auftreten, mittel- oder langfristige Auswirkungen sind solche, die mit einer gewissen Verzögerung im Verhältnis zur sie verursachenden Handlung auftreten.

- Reversibilität: Dieses Merkmal steht für die Fähigkeit der betroffenen Umwelt, in ihren vorherigen Zustand zurückzukehren, und kann als reversibel oder irreversibel definiert werden.

- Räumlicher Maßstab: Lokale Auswirkungen sind solche, die sich auf die Grenzen der Projektgebiete beschränken; regionaler Maßstab wird für Auswirkungen verwendet, deren Gebiet über die vorherige Kategorie hinausgeht; und globaler Maßstab für Auswirkungen, die potenziell den gesamten Planeten betreffen.

- Grad der Schädigung der Umwelt: kann je nach dem Grad der Veränderung/Zerstörung der Umwelt als hoch, mäßig oder gering eingestuft werden.

Und schließlich die Intensität der Umweltschäden (PAES, 2007):

- Intensität des Ausmaßes der Auswirkungen auf die Umwelt: variiert von 1 bis 3 für negative Auswirkungen, je nach Grad der Veränderung/Verschlechterung der Umwelt, in die sie eingestuft wurde, je höher die Zahl, desto größer das   Ausmaß der Auswirkungen.

Veränderung/Verschlechterung und reicht von -1 bis -3 für positiv ausgedrückte Auswirkungen, je nach dem Grad des Nutzens für die Umwelt und die Gesellschaft, wobei die Zahl umso niedriger ist, je größer der Nutzen für die Umwelt und die Gesellschaft ist.

Durch die Verwendung der oben genannten Kriterien und die Anwendung dieser Konzepte auf die wichtigsten Umweltauswirkungen war es möglich,

Interaktionsmatrizen für die UVP in den untersuchten Jahren zu erstellen (Tabelle 3).

Tabelle 3 - Identifizierung, Charakterisierung und Bewertung der Umweltauswirkungen von 2013 bis 2016 durch den Sandabbau in versenkten Gruben in der Gemeinde Redenção/PA

IDENTIFIZIERTE UMWELTAUSWIRKUNGEN	AUSDRUCK	URSPRUNG	DAUER	SCALE TEMPORAL	REVERSIBILITÄT	SCALE SPACE	GRAD DER SCHÄDIGUNG DER UMWELT	INTENSITÄT DES GRADES SCHÄDIGUNG DER UMWELT
Veränderung der Wasserqualität	NEGATIV	DIRECT	TEMPORÄR	MITTELFRISTIG	REVERSIBEL	LOKAL		3
Lärmbelästigung	NEGATIV	DIRECT	TEMPORÄR	SOFORT	REVERSIBEL	LOKAL		3
Luftverschmutzung	NEGATIV	DIRECT	TEMPORÄR	SOFORT	REVERSIBEL	LOKAL		2
Erzeugung fester Abfälle	NEGATIV	DIRECT	TEMPORÄR	SOFORT	REVERSIBEL	LOKAL		1
Verschlammung	NEGATIV	DIRECT	TEMPORÄR	SOFORT	REVERSIBEL	LOKAL		1
Verschmutzung des Bodens	NEGATIV	DIRECT	TEMPORÄR	SOFORT	REVERSIBEL	LOKAL		3
Verringertes Wasserrückhaltevermögen des Bodens	NEGATIV	INDIRECT	TEMPORÄR	MITTELFRISTIG	REVERSIBEL	LOKAL		1
Zerstörung des Bodens	NEGATIV	INDIRECT	TEMPORÄR	MITTELFRISTIG	REVERSIBEL	LOKAL		1
Erosion des Bodens	NEGATIV	DIRECT	TEMPORÄR	MITTELFRISTIG	REVERSIBEL	LOKAL		2
Reduzierte mikrobiologische Aktivität	NEGATIV	INDIRECT	TEMPORÄR	MITTELFRISTIG	REVERSIBEL	LOKAL		1
Vermehrtes Auftreten von Wind	NEGATIV	INDIRECT	TEMPORÄR	MITTELFRISTIG	REVERSIBEL	LOKAL		2
Verringertes Eindringen von Wasser in den Boden	NEGATIV	INDIRECT	TEMPORÄR	MITTELFRISTIG	REVERSIBEL	LOKAL	MODERAT	1
Beschleunigung von Erosionsprozessen in Schluchten durch die Rückführung von gepumptem Wasser	NEGATIV	DIRECT	TEMPORÄR	SOFORT	REVERSIBEL	LOKAL		3
Verschlechterung der Bodenqualität durch Abnahme der Fruchtbarkeit, der Plastizität und der Durchlüftung des Bodens infolge der Verdichtung durch den Einsatz schwerer Maschinen und der Beseitigung organischer Stoffe in den Bereichen, in denen der Boden freigelegt wurde.	NEGATIV	INDIRECT	TEMPORÄR	SOFORT	REVERSIBEL	LOKAL		2
Verringerung der Bodenausbreitungsfläche durch die Beseitigung der Vegetation, um das Straßennetz zu erschließen und Sandgewinnungsanlagen zu errichten	NEGATIV	DIRECT	TEMPORÄR	SOFORT	REVERSIBEL	LOKAL		2
Regenwasser	NEGATIV	DIRECT	TEMPORÄR	SOFORT	REVERSIBEL	LOKAL		1
Feste Industrieabfälle	NEGATIV	DIRECT	TEMPORÄR	SOFORT	REVERSIBEL	LOKAL		3
Feste Abfälle im Betrieb	NEGATIV	DIRECT	TEMPORÄR	SOFORT	REVERSIBEL	LOKAL		1
Landnutzung und -besetzung	NEGATIV	DIRECT	TEMPORÄR	LANGFRISTIG	REVERSIBEL	LOKAL		1
Änderung der natürlichen Entwässerung	NEGATIV	DIRECT	TEMPORÄR	LANGFRISTIG	REVERSIBEL	LOKAL		1

MEAN	IDENTIFIZIERTE UMWELTAUSWIRKUNGEN	AUSDRUCK	URSPRUNG	DAUER	ZEITSKALA	REVERSIBILITÄT	RÄUMLICHER MASSSTAB	GRAD DER SCHÄDIGUNG VON MEAN UMWELT	INTENSITÄT GRAD DER SCHÄDIGUNG DER UMWELT
	Beseitigung und/oder Reduzierung der Fauna	NEGATIV	INDIRECT	TEMPORÄR	SOFORT	REVERSIBEL	LOKAL		3
	Wettbewerb zwischen und innerhalb von Arten	NEGATIV	INDIRECT	TEMPORÄR	MITTELFRISTIG	REVERSIBEL	LOKAL		2
	Verlust von natürlichen Lebensräumen	NEGATIV	DIRECT	TEMPORÄR	MITTELFRISTIG	REVERSIBEL	LOKAL		3
BIOTIC	Verringerung von Unterschlupf-, Nist- und Futterplätzen	NEGATIV	INDIRECT	TEMPORÄR	MITTELFRISTIG	REVERSIBEL	LOKAL		3
	Verjagen von Wildtieren	NEGATIV	INDIRECT	TEMPORÄR	SOFORT	REVERSIBEL	LOKAL		3
	Erhöhte Dichte der Fauna in Waldfragmenten	NEGATIV	INDIRECT	TEMPORÄR	MITTELFRISTIG	REVERSIBEL	LOKAL		2
	Beseitigung und/oder Reduzierung der Flora	NEGATIV	DIRECT	TEMPORÄR	SOFORT	REVERSIBEL	LOKAL		3
	Degradierung von PPA	NEGATIV	DIRECT	TEMPORÄR	SOFORT	REVERSIBEL	LOKAL		3
	Vorübergehende Beseitigung von Fischrückzugsgebieten	NEGATIV	DIRECT	TEMPORÄR	SOFORT	REVERSIBEL	LOKAL		2

Identifizierte Umweltauswirkungen	Ausdruck	Ursprung	Dauer	Zeitskala	Reversibilität	Räumlicher Massstab	Grad der Schädigung der Umwelt	Intensität des Grades der Schädigung der Umwelt
Erhöhte Konzentration von Schwebeteilchen (Trübung) im Wasserlauf	NEGATIV	DIRECT	TEMPORÄR	SOFORT	REVERSIBEL	LOKAL		2
Verschmutzung von Wasserläufen durch Abfälle (Öle, Fette)	NEGATIV	DIRECT	TEMPORÄR	SOFORT	REVERSIBEL	LOKAL		3
Visuelle Auswirkungen im Zusammenhang mit der Errichtung von Bauwerken, der Beseitigung von Vegetation, der Aufschüttung von Sand und der Verunstaltung der natürlichen Landschaft	NEGATIV	DIRECT	TEMPORÄR	SOFORT	REVERSIBEL	LOKAL	MODERAT	2
Verschlechterung der physikalischen, chemischen und biologischen Qualität des Oberflächenwassers durch die Einleitung von Abwässern infolge des Einsatzes von Sandgewinnungsanlagen in den Gruben	NEGATIV	DIRECT	TEMPORÄR	SOFORT	REVERSIBEL	LOKAL		2
Begünstigung des Prozesses der Wiederbesetzung des "Lebensraums" durch die Mikrobiota aufgrund der Wiederherstellung der Vegetationsdecke in der Rückbauphase	POSITIV	DIRECT	TEMPORÄR	LANGFRISTIG	REVERSIBEL	LOKAL		-2
Verbesserte Landschaftsgestaltung des Geländes durch die Wiederherstellung und Sanierung der für die Entwicklung genutzten Fläche	POSITIV	DIRECT	TEMPORÄR	LANGFRISTIG	REVERSIBEL	LOKAL		-3
Möglichkeit der Stimulierung der sozialen Interaktion, die sich aus der Nutzung des Gebiets nach seiner Wiederherstellung und Sanierung ergibt	POSITIV	DIRECT	TEMPORÄR	LANGFRISTIG	REVERSIBEL	LOKAL		-3
Stress für die Wasserfauna, verursacht durch die Erzeugung von Turbulenzen im Wasserlauf während der Sandgewinnung	NEGATIV	DIRECT	TEMPORÄR	SOFORT	REVERSIBEL	LOKAL		3
Überfahren von Wildtieren	NEGATIV	DIRECT	TEMPORÄR	SOFORT	REVERSIBEL	LOKAL		3
Auswirkungen auf gefährdete Arten der Fauna	NEGATIV	DIRECT	TEMPORÄR	SOFORT	REVERSIBEL	LOKAL		3
Errichtung künstlicher Barrieren	NEGATIV	DIRECT	TEMPORÄR	SOFORT	REVERSIBEL	LOKAL		2

MEAN	IDENTIFIZIERTE UMWELTAUSWIRKUNGEN	AUSDRUCK	URSPRUNG	DAUER	ZEITSKALA	REVERSIBILITÄT	RÄUMLICHER MASSSTAB	GRAD DER SCHÄDIGUNG DER UMWELT	INTENSITÄT DES GRADES DER SCHÄDIGUNG DER UMWELT
	Verbesserung der regionalen und lokalen Wirtschaft	POSITIV	INDIRECT	TEMPORÄR	MITTELFRISTIG	REVERSIBEL	REGIONAL		-2
	Aufbau des Straßennetzes	POSITIV	INDIRECT	PERMANENT	MITTELFRISTIG	REVERSIBEL	LOKAL		-2
	Verbesserung des Vermögenswerts	POSITIV	INDIRECT	PERMANENT	LANGFRISTIG	REVERSIBEL	LOKAL		-2
	Erzeugung von Rohstoffen	POSITIV	DIRECT	TEMPORÄR	SOFORT	REVERSIBEL	LOKAL		-3
	Steuererhebung	POSITIV	DIRECT	TEMPORÄR	SOFORT	REVERSIBEL	GLOBAL		-3
	Verbesserte Lebensqualität	POSITIV	INDIRECT	TEMPORÄR	LANGFRISTIG	REVERSIBEL	LOKAL		-2
	Vorherrschen von Latifundien	POSITIV	INDIRECT	TEMPORÄR	LANGFRISTIG	REVERSIBEL	LOKAL		-2
	Maßnahmen der Aufsichtsbehörde	POSITIV	INDIRECT	TEMPORÄR	SOFORT	REVERSIBEL	GLOBAL		-3
o o CL 'O oder i- z	Kontamination von Arbeitnehmern aufgrund der Nichtverwendung von CPE und PSA	NEGATIV	DIRECT	TEMPORÄR	SOFORT	REVERSIBEL	LOKAL		-2
	Ästhetische und visuelle Auswirkungen	NEGATIV	DIRECT	TEMPORÄR	MITTELFRISTIG	REVERSIBEL	LOKAL		1
	Unzureichende Entsorgung von flüssigen und festen Abfällen	NEGATIV	DIRECT	TEMPORÄR	SOFORT	REVERSIBEL	LOKAL		2
	Lärmemission	NEGATIV	DIRECT	TEMPORÄR	SOFORT	REVERSIBEL	LOKAL	LOW	3
	Beeinträchtigung des Verkehrs	NEGATIV	DIRECT	TEMPORÄR	SOFORT	REVERSIBEL	LOKAL		2
	Verkehrsunfälle	NEGATIV	DIRECT	TEMPORÄR	SOFORT	REVERSIBEL	LOKAL		2
	Fehlende Beschilderung	NEGATIV	DIRECT	TEMPORÄR	SOFORT	REVERSIBEL	LOKAL		2
	Unfallgefahr für Badegäste durch die Bildung von Löchern durch die Bagger	NEGATIV	INDIRECT	TEMPORÄR	MITTELFRISTIG	REVERSIBEL	LOKAL		2
	Gesundheitsprobleme und Arbeitsmedizin	NEGATIV	DIRECT	TEMPORÄR	MITTELFRISTIG	REVERSIBEL	LOKAL		2
	Unfälle mit giftigen Tieren aufgrund von Schutt und Trümmern, die beim Abbau anfallen.	NEGATIV	DIRECT	TEMPORÄR	SOFORT	REVERSIBEL	LOKAL		3
	Risiko von Arbeitsunfällen aufgrund des hohen Anteils an manueller Arbeit	NEGATIV	DIRECT	TEMPORÄR	SOFORT	REVERSIBEL	LOKAL		3
	Vermehrte Bereitstellung von Sand mit positiven Auswirkungen auf die Gesellschaft im Allgemeinen durch seine Verwendung für verschiedene Zwecke und die damit verbundene Verbesserung der Lebensqualität	POSITIV	DIRECT	TEMPORÄR	MITTELFRISTIG	REVERSIBEL	LOKAL		-2

10.2.1 Für die Erstellung der Diagramme erforderliche Berechnungen

Anhand von (Tabelle 3) mit den sechs (6) Kriterien für die Analyse der Auswirkungen (Ausprägung, Ursprung, Dauer, zeitlicher Umfang, Reversibilität und räumlicher Umfang) wurden Werte für das Diagramm definiert, die der Quantifizierung des Grades der Umweltschädigung entsprechen, wobei die in (Tabelle 4) beschriebenen linguistischen Vektoren "niedrig", "moderat" und "hoch" verwendet wurden (COSTA, 2009).

Tabelle 4 - Gewichtung der Werte, die dem Grad der Umweltschädigung zugeordnet werden

Grad der Schädigung der Umwelt	Intensität des Grades der Schädigung der Umwelt
LOW	< 1
MODERAT	1 > 2
HOCH	2 > 3

Quelle: Von der Autorin, 2016.

Schaubild 1 quantifiziert daher den prozentualen Anteil der durch die Tätigkeit in den untersuchten Jahren verursachten Auswirkungen unter Berücksichtigung des Ausmaßes der Umweltschäden.

Der Durchschnitt der Ergebnisse für die physische, biotische und anthropogene Umwelt wurde verwendet, um die Werte zu berechnen, die der Intensität des Grades der Schädigung der Umwelt in (Tabelle 3) zugeordnet wurden, und dann mit dem entsprechenden Gewicht (Tabelle 4) multipliziert. Die Summe der Werte entspricht 100 %. Auf der Grundlage dieser Informationen wurde eine lineare Interpolation und eine Dreisatzberechnung durchgeführt, um die in den Diagrammen zugewiesenen Prozentsätze zu bestimmen (Tabelle 5).

Die Werte, die zur Erstellung des Diagramms zur Quantifizierung der Auswirkungen zugewiesen werden, stehen nicht in direktem Zusammenhang mit der Intensität des Grades der Auswirkungen auf die Umwelt.

Tabelle 5 - Berechnungen für die Erstellung der Diagramme zur Quantifizierung des Schadensausmaßes von 2013 bis 2016

BASISBERECHNUNG	
BIOTISCHE UMWELT =	DURCHSCHNITTLICHES (INTENSITÄT DES GRADES DER UMWELTSCHÄDIGUNG)'ÄQUIVALENTGEWICHT
PHYSISCHE UMGEBUNG =	DURCHSCHNITTLICHES (INTENSITÄT DES GRADES DER UMWELTSCHÄDIGUNG)'ÄQUIVALENTGEWICHT
HALB-ANTHROPISCH =	DURCHSCHNITTLICHES (INTENSITÄT DES GRADES DER UMWELTSCHÄDIGUNG)'ÄQUIVALENTGEWICHT

BERECHNUNG ZUR DEFINITION VON GRAFISCHEN PROZENTSÄTZEN

	BIOTISCHE UMWELT + PHYSISCHE UMWELT + ANTHROPISCHE UMWELT	100	ERWARTETE %
HIGH=	DURCHSCHNITT (INTENSITÄT DES GRADES DER UMWELTSCHÄDIGUNG)'ÄQUIVALENTGEWICHT + N'	X	R WERT
MODERAT	BIOTISCHE UMWELT + PHYSISCHE UMWELT + ANTHROPISCHE UMWELT	100	ERWARTETE %
	DURCHSCHNITT (INTENSITÄT DES GRADES DER UMWELTSCHÄDIGUNG)'ÄQUIVALENTGEWICHT + N'	x	R WERT
LOW=	BIOTISCHE UMWELT + PHYSISCHE UMWELT + ANTHROPISCHE UMWELT	100	ERWARTETE %
	DURCHSCHNITT (INTENSITÄT DES GRADES DER UMWELTSCHÄDIGUNG)'ÄQUIVALENTGEWICHT + N'	x	R WERT

Quelle: Von der Autorin, 2016.

Tabelle 5 beschreibt die Berechnungen, die für die Erstellung des Schaubilds der Umweltschäden erforderlich sind, und Tabelle 6 zeigt die Werte, die für die Erstellung von Schaubild 1 ermittelt wurden.

Tabelle 6 - Berechnungen mit Daten aus der UVP der Matrix für den Aufbau der Diagramme zur Quantifizierung des Schadensausmaßes von 2013 bis 2016

BERECHNUNGSFELD			
DURCHSCHNITTSWERTE VON SUMMEN MIT GEWICHTEN			
BIOTIC	3,6		
PHYSISCH	3,6		
ANTROPICO	-0,05		
DREISATZ FÜR DEN PROZENTSATZ DER AUSWIRKUNGEN			
MODERAT	7,15 / 3,6	100 / X	50,35 %
MODERAT	7,15 / 3,6	100 / X	50,35 %
LOW	7,15 / -0,05	100 / X	-0,70 %

Quelle: Von der Autorin, 2016.

Der in der Berechnungstabelle zugewiesene linguistische Vektor N* stellt die Kontinuität der Gleichung dar, wenn es mehr als ein Medium gibt, das mit demselben Schadensgrad klassifiziert ist.

Anhand der obigen Berechnungen lässt sich ein Diagramm (1) erstellen, das zur Quantifizierung der Umweltauswirkungen der Sandgewinnung in versenkten Gruben dient.

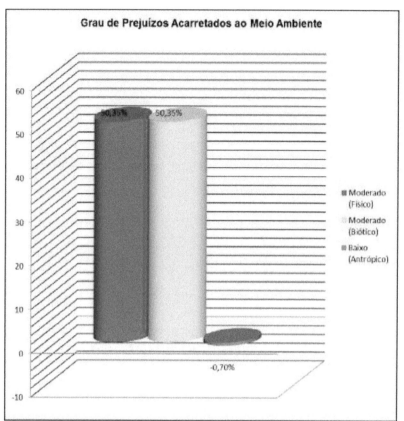

Abbildung 28 - Ausmaß der Umweltschäden durch den Sandabbau in Versenkgruben in Redenção zwischen 2013 und 2016

Quelle: Von der Autorin, 2016.

10.2.2 Analyse der Ergebnisse aus den Interaktionsmatrizen und den erstellten Diagrammen

Bevor jedoch mit der Analyse der Ergebnisse begonnen wird, ist darauf hinzuweisen, dass alle möglichen negativen und positiven Umweltauswirkungen unter Berücksichtigung der folgenden Faktoren angegeben wurden

Die Faktoren, die kurz-, mittel- und langfristig die Umwelt durch die Installations- und Betriebsarbeiten beeinträchtigen können, sowie die indirekten Auswirkungen, die durch die Anthropisierung, die Verdrängung von Pflanzen, die Besiedlung des Geländes, den Einsatz von Maschinen und Ausrüstungen für den Betrieb der

Mineraliengewinnung in den unterirdischen Gruben verursacht werden, sind alle in diesem Projekt aufgeführt und reversibel, und einige werden wahrscheinlich auftreten.

Im Zusammenhang mit den Ergebnissen der Analysen ist festzustellen, dass die Auswirkungen auf die physische Umwelt in Bezug auf die Ausprägung: negativ; Ursprung: direkt und indirekt; Dauer: vorübergehend; zeitlicher Umfang: unmittelbar und mittelfristig; Reversibilität: umkehrbar; räumlicher Umfang: lokal; Grad der Beeinträchtigung: mäßig überwiegen.

Die Auswirkungen auf die physische Umwelt gehen von einer strukturierten Gesamtheit aus, die sich in einem dynamischen Gleichgewicht befindet und deren verschiedene Aspekte in Bezug auf Verursachung, Entstehung, Entwicklung, Aufbau und Organisation voneinander abhängig sind. In diesem Zusammenhang haben wir die Veränderungen der Boden- und Wasserressourcen sowie die Auswirkungen hervorgehoben, die durch feste Industrieabfälle, die Beschleunigung von Erosionsprozessen durch die Rückführung von gepumptem Wasser und die Lärmbelästigung entstehen können. Dies sind die intensivsten Auswirkungen, die durch Programme und Maßnahmen, die in dieser Studie behandelt werden, minimiert werden.

Die bei den Analysen der biotischen Umwelt erzielten Ergebnisse überwogen in Bezug auf die Ausprägung: negativ und positiv; Ursprung: direkt und indirekt; Dauer: vorübergehend; zeitlicher Umfang: unmittelbar, mittelfristig und langfristig; Reversibilität: reversibel; räumlicher Umfang: lokal; Grad der Beeinträchtigung: mäßig.

Die Auswirkungen auf die biotische Umwelt während der Durchführungsphase des Projekts beschränken sich im Wesentlichen auf die terrestrische und aquatische Umwelt. Die Auswirkungen, die sich negativ auswirken könnten, sind insbesondere die minimalen Erdarbeiten, der Lärm, der Bodenabtrag, die Verscheuchung der empfindlichsten Arten, die in der Nähe leben, was dazu führt, dass sie in benachbarte Gebiete flüchten, der Verlust natürlicher Lebensräume, die Verschlechterung der APP, die Verschmutzung der Wasserläufe durch Öle und Fette und das Zertrampeln der Fauna, Auswirkungen auf gefährdete Tierarten. Diese negativen Auswirkungen können durch die Durchführung der Bergbautätigkeit und die Entwicklung, die weitere Flächen beanspruchen wird, entstehen. Es sei darauf hingewiesen, dass die biotische Umwelt auch positive Auswirkungen hat, wie z. B. die Verbesserung der landschaftlichen Aspekte des Standorts aufgrund der Wiederherstellung und Sanierung des für das Projekt genutzten Gebiets und die Möglichkeit der Förderung der sozialen Interaktion, die sich aus der Nutzung des Gebiets nach seiner Wiederherstellung und Sanierung ergibt. Durch die Ergreifung von Maßnahmen, die nach den geltenden Rechtsvorschriften für die Entwicklung der Aktivität erforderlich sind, werden diese Auswirkungen durch Programme und Maßnahmen, die in dieser Studie behandelt werden, minimiert.

Die in den Analysen der anthropogenen Umwelt erzielten Ergebnisse überwogen in Bezug auf die Ausprägung: negativ und positiv; Ursprung: direkt und indirekt; Dauer: vorübergehend und dauerhaft; Zeitskala: unmittelbar, mittelfristig und langfristig; Reversibilität: reversibel; räumliche Skala: lokal, regional und global; Grad der Beeinträchtigung: gering.

Für die anthropologische Diagnose wurden alle Aktivitäten im direkten Einflussbereich des Projekts und der gesamten Gemeinde ausgewählt, da dieses Projekt eine Reihe positiver Auswirkungen haben wird, die zur Verbesserung der Lebensqualität der lokalen Bevölkerung, der Beschäftigung und des Einkommens durch die Einstellung lokaler Arbeitskräfte, des Wohnungsbaus, der kommunalen und regionalen Entwicklung, der Gewinnung von Rohstoffen, der Einnahme von Steuern und der Arbeit der Aufsichtsbehörde beitragen können. Darüber hinaus gibt es auch negative Auswirkungen auf die Umwelt, vor allem die Gefahr von Arbeitsunfällen aufgrund des hohen Anteils an manueller Arbeit, das Auftreten von Unfällen mit giftigen Tieren aufgrund der ständigen Ablagerung von Schutt und Trümmern aus dem Abbau und die Lärmemissionen.

In dieser Studie wurden jedoch einige Punkte hervorgehoben, um die negativen Auswirkungen zu minimieren und die positiven zu verstärken.

Es wurde festgestellt, dass der soziale und wirtschaftliche Nutzen für die Gemeinde wichtig ist, da sich die Gemeinde durch diese Tätigkeit entwickelt hat und Einkommen und Arbeitsplätze für die Bevölkerung geschaffen wurden, aber dieser Nutzen rechtfertigt keine ungeplante Verschlechterung.

Es ist anzumerken, dass die UVP aus subjektiven Ergebnissen besteht, da sie von einer persönlichen Analyse abgeleitet sind, so dass andere Ergebnisse auftreten können, wenn eine neue Analyse von anderen Autoren durchgeführt wird.

In diesem Zusammenhang ist auch festzustellen, dass sich kein Abbaugebiet an das bei der SEMMA eingereichte Projekt hält und dass es keinen Bergbautechniker enthält. So erhalten die Eigentümer das Dokument von der Behörde, legen es dann beiseite und führen falsche Methoden durch, was die Umweltauswirkungen verschlimmert.

Es zeigt sich, dass die Auswirkungen auf die biotische und physische Umwelt am stärksten sind, da sie die Unterdrückung der Vegetation *in* einigen Bereichen erfordern, wie die bei einem Besuch *vor Ort* aufgenommenen Bilder (Abbildungen 11 bis 19) zeigen, und somit den Grad der Umweltschäden erhöhen.

10.3 MINDERUNGSMASSNAHMEN FÜR DIE PHYSISCHE, BIOTISCHE UND ANTHROPOGENE UMWELT

Auf der Grundlage der beschriebenen signifikanten Umweltverträglichkeitsprüfung wurden die Abhilfemaßnahmen für die physische, biotische und anthropogene Umwelt festgelegt, wie in den Tabellen 8, 9 und 10 dargestellt.

Schaubild 6 - Abhilfemaßnahmen für erhebliche Umweltauswirkungen auf die physische Umwelt, die durch den Sandabbau in versunkenen Gruben verursacht werden.

ABMILDERNDE MASSNAHMEN			
PHYSISCHE UMWELT			
Erhebliche Auswirkungen auf die Umwelt	Phase	Wahrscheinliche und/oder synergetische Ursachen	Abschwächende Maßnahmen und/oder Empfehlungen
ern der Änd Qua lität der Wasser	Umsetzung und Entwicklung	Verunreinigung von Wasserressourcen durch chemische, physikalische oder biologische Aktivitäten	Bau von Auffangbecken zur Lagerung von auslaugendem Material; Ergreifung von Lagerungs- und Behandlungs maßnahmen, ordnungsgemäße Verwertung und Entsorgung von flüssigen und festen Abfällen; Durchführung von Hygienemaßnahmen mit Desinfektion.
Lärmbelästigung	Umsetzung und Entwicklung	Tra nsit Mas chinen und Ausrüstung	Kauf von Maschinen, die weniger Lärm verursachen. Überprüfung und Anpassung der Lärmintensität an die geltenden Rechtsvorschriften. Aktivitäten zu Zeiten, die für die Nachbarschaft relevant und günstig sind,

			und die Bereitstellung von PSA für die Mitarbeiter.
Luftverschmutzung	Umsetzung und Entwicklung	Transport von Fahrzeugen nach Tätigkeit Maschinen für Betrieb Extraktion	Die Tätigkeit ist durch atmosphärische Emissionen gekennzeichnet, die sich aus Dieselverbrennungsprodukten und vom Gasstrom mitgeführten Partikeln zusammensetzen und regelmäßig überwacht werden müssen.
Ge neration Feststoffabfall	Umsetzung und Entwicklung	Installations- und Betriebsbereich	Durchführung von Projekten zum Bau geeigneter Strukturen für die Abfalllagerung.
Verschlammung	Entwicklung	Wiederherstellung des geschädigten Gebiets; Verkleinerung des Interventionsgebiets.	Alle Bergbauaktivitäten müssen zusammen mit dem Umweltgenehmigungsprojekt ein PRAD einreichen, um die Auswirkungen der Verschlammung zu minimieren und die im PRAD vorgesehenen Maßnahmen zu überwachen.
Verschmutzung des Bodens	Umsetzung und Entwicklung	Sch adstoffe aus Täti gkeit Mineralgewinnung	Überwachungsplan mit Laboranalysen des Bodens; Führen Sie alle sechs Monate Bodenanalysen durch;
Verr ingerung der Rüc khaltevermögen Wasser im Boden	Entwicklung	Wiederherstellung des geschädigten Gebiets; Verkleinerung des Interventionsgebiets; Durchfüh rung der Verwaltung richtigen Boden.	Überwachung der im PRAD festgelegten Maßnahmen; Überwachung des Bodenbewirtschaftungsplans.
Zerstörung des Bodens	Umsetzung und Entwicklung	Aintens a Ver wendung von Maschinen	Entwicklung einer spezifischen Routine für die Pflege des Gebiets, Verlängerung der Intervalle für den Einsatz von Maschinen auf diesem Gelände.
Erosion des Bodens	Entwicklung	Räumliche Streuung von ausgedehnte Gebiete für Bergbauaktivitäten	Überwachung der im PRAD festgelegten Maßnahmen; Überwachung des Bodenbewirtschaftungsplans.
Ver ringerung der mikrobiologische Aktivität	Umsetzung und Entwicklung	Aintens a Täti gkeit in besondere Lage	Überwachung der im PRAD festgelegten Maßnahmen;
Zun ahme der Windhäufigkeit	Umsetzung	Von der großflächigen Abholzung der Flora	Einrichtung von Windschutzvorrichtungen in strategischen Bereichen; Verwendung als Parameter für die Auswahl von Gebieten für die Aufforstung, in denen ein höheres Windaufkommen herrscht.
Verringertes Eindringen von Wasser in den Boden	Entwicklung	Verbrennun g Beeinflussung von Bodentextur und -struktur	Wenden Sie PRAD-Kontrollmethoden an und planen Sie den Betrieb des Bergwerks, um diese Situation zu vermeiden.
Beschleunigung von Erosionsprozessen	Entwicklung	Aintens a Täti	Vorbeugende Maßnahmen zur Erhaltung der Stabilität von Hängen. Sandhäfen müssen in sicherem Abstand zum

Erhebliche Auswirkungen auf die Umwelt	Phase	Wahrscheinliche und/oder synergetische Ursachen	Abschwächende Maßnahmen und/oder Empfehlungen
in Schluchten durch die Rückführung von gepumptem Wasser		gkeit in besondere Lage	Flussbett angelegt werden. Die Entnahme von Sand durch Absaugen muss in ausreichendem Abstand von den Ufern erfolgen, um Abflussrinnen und die damit verbundene Verschlammung und Zerstörung der Vegetation zu vermeiden.
Verschlechterung der Bodenqualität	Umsetzung und Entwicklung	Aintens a Täti gkeit in besondere Lage	Anwendung von PRAD-Kontrollmethoden und Planung des Minenbetriebs zur Vermeidung von Bußgeldern.
Verri ngern Ban kleitzahl Vermehrung des Bodens durch die Beseitigung der Vegetation, um den Boden zu öffn en Straßennetz und Errichtung von Förd eranlagen Sand	Umsetzung und Entwicklung	Aintens a Täti gkeit in besondere Lage	Wenden Sie PRAD-Kontrollmethoden an; vermeiden Sie die Beseitigung großer Bäume und planen Sie, wie die Mine betrieben werden soll, um diese Bußgelder zu vermeiden.
Regenwasser	Umsetzung und Entwicklung	Abwä sser in der Standort.	Das System der Oberflächenentwässerung, das im Allgemeinen die Lösung für das Zusammenspiel, die Sammlung und die Ableitung von Regenwasser umfasst.
Feste Industrieabfälle	Umsetzung und Entwicklung	Synergieeffekte durch Aktivitäten im Zusammenhang mit Projekt	Bei der Tätigkeit fallen in geringem Umfang feste Abfälle an, die unter Einhaltung der Umweltvorschriften und der von SEMMA aufgestellten Leitlinien an einem bestimmten Ort gelagert werden müssen.
Feste Abfälle im Betrieb	Umsetzung und Entwicklung	Synergistische Aktivitäten in Bezug auf Projekt	Feste Abfälle aus Haushalten sind Abfälle , Verwaltungsabfälle, sonstiger Müll usw., die an einem bestimmten, von SEMMA festgelegten Ort gelagert werden müssen.
Landnutzung und -besetzung	Umsetzung und Entwicklung	Anlagen und gep lante Gebäude Projekt.	Anpassung an die Instrumente des Umweltmanagements, Erfüllung des Umweltprojekts.
Änderung der natürlichen Entwässerung	Umsetzung und Entwicklung	Synergistische Aktivitäten in Bezug auf Projekt	Umsetzung des vorgeschlagenen Regenwasserkanalsystems.

Schaubild 7 - Abhilfemaßnahmen für erhebliche Umweltauswirkungen auf die biotische Umwelt, die durch die Sandgewinnung in versenkten Gruben verursacht werden.

ABMILDERNDE MASSNAHMEN			
BIOTISCHE UMWELT			
Erhebliche Auswirkungen auf die Umwelt	Phase	Wahrscheinliche und/oder synergetische Ursachen	Abschwächende Maßnahmen und/oder Empfehlungen

Beseitigung und/oder Re duzierung von Fauna	Umsetzung	Unterdrückung von Pflanzen	Erhaltung der biologischen Vielfalt in Produktionseinheiten; Vermeidung der Abholzung von Wäldern, ohne eine entsprechende Genehmigung der zuständigen Umweltbehörde einzuholen.
Wettbewerb zwischen und innerhalb von Arten	Umsetzung und Entwicklung	Verringerung der Grünflächen , wodurch die Migration von Arten der Fauna	Minimierung der Unterdrückung der Vegetation und damit der Unterschlupf-, Nist- und Nahrungsgebiete von Arten.
Ver lust natürliche Lebensräume	Umsetzung	Von der Maximierung der Vegetationsunterdrü ckung	Minimierung des Verlusts von natürlichem Lebensraum; Erhaltung natürlicher Ressourcen wie Auwälder, Sträucher, Substrate wie Baumstämme, Äste usw.
Verringerung von Unterkünften, Ni stplätzen und Lebensmittel	Umsetzung	Unterdrückung von Pflanzen	Minimierung der Umweltauswirkungen auf die Flora durch Verhinderung der Artenwanderung; Schutz von APP- und RL-Gebieten
Verjagen von Wildtieren	Umsetzung und Entwicklung	Flucht von lärmempfindlichen Arten	Erhaltung der biologischen Vielfalt in Produktionseinheiten, Einrichtung von Ausgleichsflächen; Schutz von APP- und RL-Gebieten.
Zunahme der Dichte faunans Waldfragmente	Umsetzung und Entwicklung	Verringerung der Grünflächen , wodurch die Migration von Arten der Fauna	Minimierung der Umweltauswirkungen auf die Flora durch Verhinderung der Migration von Arten; Schutz von APP- und RL-Gebieten.
Beseitigung und/oder Reduzierung der Flora	Umsetzung	Durchgeführt zur Umsetzung des Bergbaus	Schutz von APP- und RL-Flächen; Wiederbegrünung degradierter Flächen in Übereinstimmung mit PRAD.
Degradierung von PPA	Umsetzung und Entwicklung	Durchgeführt zur Umsetzung des Bergbaus	Begleitung der Pflanzensanierung am Standort.
Vorübergehende Beseitigung von Fischrückzugsgebi eten	Entwicklung	Von Tätigkeit Extraktion durch Bagger	Einhaltung des PRAD und Umsetzung des Wasserüberwachungsprogramms.
Zunahme der Partikel in Suspension (Trübung) in der Wasserlauf	Entwicklung	Von Tätigkeit Extraktion durch Bagger	Überwachen Sie den Trübungsgrad; Erfüllung der Anforderungen der CONAMA-Resolution^0 357/2005
Verschmutzung von Wasserl äufen durch Abfälle (Öle, Fette) verursachtes Wasser	Entwicklung	Von Tätigkeit Extraktion durch Bagger	Erstellung von Notfallplänen; Installation eines passiven Wasseraufbereitungssystems; Sicherstellung der Effizienz des passiven Wasseraufbereitungssystems; Analyse von Wasserproben.
Visuelle Auswirkungen, die mit der Errichtung von Bauwerken, dem Prozess der zurückgezogen	Umsetzung und Entwicklung	Synergieeffekte durch Aktivitäten in folgenden Ber eichen Projekt	Die durch die Abtragung des Oberbodens verursachten Auswirkungen werden durch die Durchführung des Abbaus auf ein Minimum reduziert. Bodenspeicher, der später in der

68

Vegetation, Sandlagerung			Landwirtschaft genutzt werden soll. Neuzusammensetzung des Gebiets.
Begünstigung des Wiederbesetzungs prozesses "Lebensraum" für die Mikrobiota, im Phase Deaktivierung	Entwicklung	Synergie der Akti vitäten von igstellung Projekt	Einhaltung der PRAD-Vorschriften und Durchführung des Überwachungsprogramm s Floristisch.
Verbesserte Landschaftsgestalt ung des Geländes durch die Wiederherstellung und Sanierung der für die Entwicklung genutzten Fläche	Entwicklung	Synergie der Akti vitäten von igstellung Projekt	Durchführung von Fischzucht, unter Einhaltung der spezifischen Entschließung für diese Tätigkeit; Sanierung für die Nutzung durch Wildtiere und als Unterschlupf; Eine weitere von der Umweltbehörde genehmigte Alternative.
Möglichkeit der Stimulierung der sozialen Interaktion, die sich aus der Nutzung des Gebiets nach seiner Wiederherstellung und Sanierung ergibt	Entwicklung	Synergie der Akti vitäten von igstellung Projekt	Es handelt sich um ein Projekt, das der Gesellschaft zugute kommt und positive Auswirkungen auf das sozioökonomische Umfeld hat.
Stress für die aquatische Fauna, verursacht durch die Erzeugung von Turbulenzen im Wasserlauf während der Sandgewinnung	Entwicklung	Von Tätigkeit Extraktion durch Emcava-Bagger untergetaucht	Zeitplanung: damit der Geräuschpegel je nach Tageszeit und unter Einhaltung der Normen angemessen ist. Wartung der Geräte und Anlagen: Diese Maßnahme hat Vorrang vor der regelmäßigen Wartung und Einstellung von Motoren und Geräten, damit diese ordnungsgemäß, mit akzeptablen Schallpegeln und in Übereinstimmung mit den technischen Normen arbeiten.
Auswirkungen auf die Art en bedrohte Tierwelt	Entwicklung	Unterdrückung von Pflanzen	Schützen Sie APP- und RL-Gebiete; Wiederbegrünung degradierter Flächen in Übereinstimmung mit PRAD. Begleitung der Wiederherstellung der Vegetation auf dem Gelände und Überwachung, um sicherzustellen, dass keine gefährdeten Arten gejagt werden, was ein Umweltverbrechen darstellt.
Errichtung künstlicher Barrieren	Umsetzung und Entwicklung	Zur Durchführung des Projekts vorgeschlagen	Bauen Sie die Einrichtungen an strategischen Punkten.

Schaubild 8 - Abhilfemaßnahmen für erhebliche Umweltauswirkungen auf die anthropogene Umwelt, die durch die Sandgewinnung in versenkten Gruben verursacht werden.

ABMILDERNDE MASSNAHMEN			
ANTHROPISCHE UMWELT			
Erhebliche Umweltauswirkun gen	Phase	Wahrscheinliche und/oder synergetische Ursachen	Abschwächende Maßnahmen und/oder Empfehlungen
Ver bessert regionale und	Umsetzung und Entwicklung	Zunahme der Kapitalisierung Hersteller	Bevorzugen Sie, wann immer möglich, die Einstellung lokaler Arbeitskräfte; bevorzugen Sie die Inanspruchnahme

lokale Wirtschaft		Generation Beschäftigung und Einkommen	lokaler Dienstleistungen, des lokalen Handels und der lokalen Vorleistungen.
Aufbau des Straßennetzes	Umsetzung und Entwicklung	Verbesserung der Zufahrtsstraßen	Vorrangige Einstellung lokaler Arbeitskräfte und Betriebsmittel, wann immer dies möglich ist, was sich positiv auf das Straßennetz auswirkt, das nicht nur für die Fördertätigkeit, sondern auch für andere ländliche Grundbesitzer verbessert wird.
Verbesserung des Vermögenswerts	Umsetzung und Entwicklung	Tiefbauinstallation	Vorrangige Einstellung lokaler Arbeitskräfte und Betriebsmittel, wann immer dies möglich ist, was sich positiv auf die physischen Strukturen der Immobilie auswirkt und den Preis der Immobilie erhöht.
Ge neration Grundstoffe	Entwicklung	Durch die Gewinnung von Sand	Der Sandabbau wirkt sich positiv auf die anthropogene Umwelt aus, da er Rohstoffe zur Deckung der wachsenden Nachfrage im Stadtgebiet von Redenção liefert und so unsere Wirtschaft verbessert.
Ge neration Steuern	Umsetzung und Entwicklung	Vo n Registrierung bei der DNPM	Die Gewinnung von Bodenschätzen muss den geltenden Gesetzen entsprechen und einen Beitrag zum CFEM leisten, die Bundes-, Landes- und Gemeindesteuern in einem einzigen GRU-Beleg abführen; diese Steuern fließen in das öffentliche Verwaltungsprogramm für Bergbauaktivitäten zurück.
Ver bessert Qua lität Leben	Umsetzung und Entwicklung	Ge neration Beschäftigung und Einkommen	Bevorzugen Sie, wann immer möglich, die Einstellung lokaler Arbeitskräfte; bevorzugen Sie die Inanspruchnahme lokaler Dienstleistungen, des lokalen Handels und lokaler Vorleistungen.
Vorherrschen von Latifundien	Umsetzung und Entwicklung	Konzessionen für Landtitel	Wirksame Umsetzung der Bodenreformpolitik in der Region.
Die Aufsichtsorgan	Umsetzung und Entwicklung	Staatliche Anreize	Gemeinsames Vorgehen von Bund, Ländern und Gemeinden.
Kontamination von Pornoarbeitern Verwendung von PSA	Umsetzung und Entwicklung	Synergismoda Tätigkeit Umsetzung Betrieb	Einhaltung der Sicherheits-, Umwelt- und Gesundheitsrichtlinien, nicht nur, um die geltenden Vorschriften einzuhalten, sondern auch, um sich um die Mitarbeiter zu kümmern.
Ä sthetische Wirkungen visuell	Umsetzung	Herg estellt von Bereitstellung	Durchführung von Aufforstungs- und Landschaftsgestaltungsprojekten für den Standort.
Unzureichende Entsorgung von flüssigen und festen Abfällen	Entwicklung	Mangel an umgekehrter Logistik in der Region und mangelndes Bewusstsein der DNPM-Registerinhaber	Durchführung von Projekten zum Bau geeigneter Strukturen für die Lagerung und Kompostierung von Abfällen; Sicherstellung der technischen Anleitung und Bereitstellung von Infrastrukturen für die Entsorgung von Öl- und Fettverpackungen in Übereinstimmung mit den geltenden Rechtsvorschriften.
Aus stellen von Geräusche	Umsetzung und Entwicklung	Tran sit M aschinen und Ausrüstung	Anschaffung von Maschinen mit geringerer Lärmbelastung; Überprüfung und Anpassung der Lärmbelastung in Bezug auf die geltenden Rechtsvorschriften;

			Durchfüh
			rung von Aktivitäten zu Zeiten, die für die Nachbarschaft relevant und günstig sind.
Beeinträchtigung des Verkehrs	Umsetzung und Entwicklung	Tra nsit Maschinen	Erfüllung der Anforderungen der Contran-Resolution 732/89.
Verkehrsunfälle	Umsetzung und Entwicklung	Transit	Schulung zur Arbeitssicherheit und zur Bedeutung der Verwendung von PSA und CPE unter der Aufsicht eines Arbeitssicherheitstechnikers.
Ab wesenheit von Signalisierung	Umsetzung und Entwicklung	Transit	Die Lastwagen müssen so beschildert werden, dass sie identifiziert werden können, und es müssen Sicherheitsschilder aufgestellt werden.
Unfallgefahr für Kletterer, durch die Bildung von Löchern durch die Tätigkeit von Baggerschiffen	Entwicklung	Von Täti gkeit Sandgewinnung mit Baggerschiffen	Wenn das Projekt abgeschlossen ist, müssen Schilder aufgestellt werden, die auf die Tiefe des Stausees und die damit verbundenen Risiken hinweisen.
Pro bleme Ges undheit Arbeitsmedizin	Umsetzung und Entwicklung	Bereitstellung von PSA für die Mitarbeiter; Re alisieren Sie regelmäßige medizinische Untersuchungen.	Schulung der Mitarbeiter in der Benutzung von PSA; Vorschrift der Benutzung von PSA; Überwachen Sie die medizinischen Beurteilungen.
Vorkommen von Unfällen mit giftigen Tieren	Umsetzung und Entwicklung	Bereitstellung von PSA für die Mitarbeiter;	Schulung der Mitarbeiter in der Benutzung von PSA; Vorschrift der Benutzung von PSA; Schulung der Mitarbeiter in Erste-Hilfe-Maßnahmen.
Riscode Arbeitsunfälle angesichts des hohen Anteils an manueller Arbeit	Umsetzung und Entwicklung	Stellen Sie den Mitarbeitern PSA zur Verfügung und verfügen Sie über EPCs in Hochr isikobereichen. Umwelt;	Schulung der Mitarbeiter in der Verwendung von PSA; Vorschreiben der Verwendung von PSA; Schulung der Mitarbeiter in Erste-Hilfe-Maßnahmen.
Zu nahme der Sandversorgung, mit positiven Auswirkungen auf die Gesellschaft im Allgemeinen	Entwicklung	Auf grund von Erhöhung des Angebots an Sand in der Gemeinde	Die Zunahme des Sandangebots wirkt sich positiv aus, da sie direkte und indirekte Arbeitsplätze schafft und das Leben der Beschäftigten verbessert, da diese Bergbautätigkeit Normen und Rechtsvorschriften erfüllen muss.

KAPITEL 11

SCHLUSSFOLGERUNGEN UND EMPFEHLUNGEN

Im legalen Amazonasgebiet ist der Bergbau von großer Bedeutung, aber unter Berücksichtigung der Umweltvariablen, mit denen der Bergbau interagiert, gibt es Umweltauswirkungen auf verschiedenen Ebenen, die durch die zunehmende Ausdehnung dieser Aktivität verursacht wurden und immer noch werden. Ein großer Teil dieses Problems ist auf die mangelnde Kontrolle durch die Umweltbehörden zurückzuführen, die in Verbindung mit der Größe des Bundesstaates Pará das Aufkommen des illegalen Bergbaus begünstigt, was wiederum die Umweltauswirkungen auf die physische, biotische und anthropogene Umwelt verstärkt.

Den Untersuchungen zufolge ist die Gemeinde Redenção vom zunehmenden Sandabbau betroffen, um die wachsende Nachfrage zu decken, da die Region zu den neuen landwirtschaftlichen Gebieten Brasiliens gehört.

Mithilfe der Technik der Überlagerung thematischer Reliefkarten konnte die Anzahl der irregulären Sandabbaugebiete in der Gemeinde zwischen 2013 und 2015 ermittelt werden. Die Untersuchungen ergaben, dass in der Gemeinde insgesamt 34.084,5 Hektar irregulär ausgebeutet wurden, ohne die gesetzlich vorgeschriebenen Umweltgenehmigungen und die Registrierung bei der DNPM.

Unter Verwendung der Checklisten-Technik und der Interaktionsmatrizen wurde festgestellt, dass der Grad der Umweltbeeinträchtigung in der physischen und biotischen Umwelt (mäßig) ist, wobei die Veränderungen des Bodens, der Wasserressourcen, des Lärms, die Verscheuchung der empfindlichsten Arten, die in der Nähe leben, der Verlust natürlicher Lebensräume, die Verschlechterung der APP und die Verschmutzung der Wasserläufe durch Öle und Fette hervorgehoben werden. In der anthropogenen Umwelt ist der Grad der Schädigung der Umwelt (gering), was auf die positiven Auswirkungen der Bergbautätigkeit zurückzuführen ist, die die Lebensqualität der lokalen Bevölkerung, die Beschäftigung und das Einkommen durch die Einstellung lokaler Arbeitskräfte, den Wohnungsbau, die kommunale und regionale Entwicklung, die Gewinnung von Rohstoffen, die Generierung von Steuern und die Maßnahmen der Aufsichtsbehörde verbessert hat.

Daher spielt der Sandabbau eine wichtige Rolle für die wirtschaftliche Nachhaltigkeit der Gemeinde Redenção, aber er verursacht auch Umweltauswirkungen in der physischen, biotischen und menschlichen Umwelt, die Maßnahmen zur Minimierung dieser Auswirkungen erfordern.

In Anbetracht der derzeitigen städtischen Besiedlung und der möglichen Auswirkungen des unregelmäßigen und wahllosen Sandabbaus in der Nähe der untersuchten Gebiete werden die folgenden Empfehlungen ausgesprochen:

- Kontinuierliche Überwachung der Sandgewinnungsaktivitäten durch Kontrollstellen;

- Beauftragung eines qualifizierten Fachmanns durch das Unternehmen, das die Bergbaulizenz besitzt, mit der Überwachung der Mineralgewinnung;

- Vorschlag zur Durchführung eines Programms zur Erhaltung der lokalen biologischen Vielfalt und zur Förderung der sozialen und wirtschaftlichen Entwicklung im Einklang mit der Umwelt.

KAPITEL 12

REFERENZEN

ABDON, Myrian de Moura. *Umweltauswirkungen auf die physische Umwelt - Erosion und Verschlammung im Einzugsgebiet des Flusses Taquari, MS, als Folge der Viehzucht.* 2004. 322 f. Dissertation (Doktorat in Umweltingenieurwissenschaften) - Ingenieurschule São Carlos, Universität von São Paulo, São Carlos 2004.

ABNT- BRASILIANISCHER VEREIN FÜR TECHNISCHE NORMEN. *NBR 7211.* Gesteinskörnung für Beton. Rio de Janeiro, 1983, S. 01.

ALMEIDA, Raquel Olimpia Peláez Ocampo. *Wiederbegrünung von Bergbaugebieten: Eine Studie über die in Sandminen angewandten Verfahren.* 2002. 179 f. Diplomarbeit (Master of Engineering) - Universität von São Paulo. Fakultät für Bergbau und Erdöltechnik, São Paulo/SP, 2002.

ART, W. H. *Wörterbuch der Ökologie und Umweltwissenschaften.* São Paulo: UNESP/Melhoramentos, 1998. 583p.

BRAZIL, Verfassung (1988). *Verfassung der Föderativen Republik Brasilien.* Brasília (DF): Senado, 1988. 292 S.

BRASILIEN, Dekret 88.351, vom 1. Juni 1983. *Legt die nationale Umweltpolitik fest und enthält weitere Bestimmungen.* Staatsanzeiger der Föderativen Republik Brasilien, Brasília, DF, 01. Juni 1983. Verfügbar unter: <http://www.ibama.gov.br/carijos/documentos/Decreto88351.pdf>. Abgerufen am: 08. August 2016.

BRASILIEN, Gesetzesdekret 227 vom 28. Februar 1967. *Legt das Bergbaugesetz fest und erlässt weitere Bestimmungen.* Staatsanzeiger der Föderativen Republik Brasilien, Brasília, DF, 28. Februar 1967. Verfügbar unter: <http://www.dnpmpe.gov.br/Legisla/cm_00.php>. Abgerufen am: 08. August 2016.

BRASILIEN, Nationale Abteilung für Mineralienproduktion. *Die wichtigsten Mineralvorkommen in Brasilien.* 4v. (v. 4c) il. Brasília: DNPM/CPRM, 1997.

BRASILIEN, Nationale Abteilung für Mineralienproduktion. *RADAMBRASIL-Projekt:* Geologie, Geomorphologie, Böden, Vegetation und potenzielle Landnutzung. Rio de Janeiro, 1974. 1 CD-ROM.

BRASILIEN, Gesetz Nr.[0] 6938, vom 31. August 1981. Staatsanzeiger der Föderativen Republik Brasilien, Brasília (DF), 02. September 1981. Abschnitt 1, S. 1.

BRASILIEN, Ministerium für Bergbau und Energie et al. *Mineralien-Integrationsprogramm in der Gemeinde Redenção.* Brasília: PRIMAZ, 1996. 84 p.

BRASILIEN: Brasilianischer Verband für technische Normen (ABNT). *ABNTNBR ISO 14001.* 2015.

BRASILIEN Gesetz 8.982, vom 24. Januar 1995. Neuformulierung von Artikel 1° des Gesetzes Nr. 6.567 vom 24. September 1978, geändert durch Gesetz Nr. 7.312 vom 16. Mai 1985. Staatsanzeiger der Föderativen Republik Brasilien, Brasília, DF, 24. Januar 1995. Verfügbar unter   :< http://www.fiscosoft.com.br/indexsearch.php>. Abgerufen am: 08. August 2016.

BRASILIEN: Umweltministerium, Nationaler Umweltrat, CONAMA. CONAMA-Resolution 306 vom 19. Juli 2002. - In: Resolutionen, 2002. Verfügbar unter: <http://www.mma.gov.br> Zugriff am: 10. Aug. 2016.

BRASILIEN: Umweltministerium, Nationaler Umweltrat, CONAMA. CONAMA-Entschließung Nr. 10, vom 6. Dezember 1990. - In: Resolutionen, 1990. Verfügbar unter: <http://www.mma.gov.br> Zugriff am: 10. August. 2016.

CAMARGO, Marcos Sérgio Frazão de. *Analyse der Unterdrückung von Auwäldern in der Gemeinde Redenção/PA mittels Fernerkundung*. 2008. 86 f. Abschlussarbeit (Grundstudium in Umwelttechnik) - Staatliche Universität Pará, Redenção, 2008.

COSTA M; CHAVES, P. *Uso das Técnicas de Avaliação de Impacto Ambiental em Estudos Realizados no Ceará*. Paper presented at Np 09 - Scientific and Environmental Communication, V Meeting of Inercom Research Centres, XXVIII Brazilian Congress of Communication Science, Rio de Janeiro - RJ. 2005.

COSTA, Enoque Melo da. *Bewertung der Umweltauswirkungen, die sich aus den Bau- und Betriebsphasen der Autobahn PA-150 auf dem Abschnitt zwischen den Gemeinden Pau DArco und Redenção - PA ergeben*. 2009. 81 f. Abschlussarbeit (Grundstudium in Umwelttechnik) - Staatliche Universität Pará, Redenção, 2009.

DIAS, R. *Umweltmanagement:* soziale Verantwortung und Nachhaltigkeit / Reinaldo Dias. 1. Auflage - Neuauflage - São Paulo, Atlas, 2007.

DNPM, Nationale Abteilung für Mineralienproduktion. **Gewinnung von Sand**. Brasília, 17. Oktober 2002. Verfügbar unter <http://www.dnpm.gov.br> Zugriff am: 08 Aug. 2016.

BRASILIANISCHE LANDWIRTSCHAFTLICHE FORSCHUNGSGESELLSCHAFT. *Boden-, Relief- und Topographiekarten von Brasilien*. Rio de Janeiro: EMBRAPA SOLOS, 2011. 1 Karte. Maßstab 1:5000000. 1 CD-ROM.

FILHO, E.; BATISTA, G.; TARGA, M; SOARES, P; *The future use of sand mining areas in the sub-stretch between Jacareí and Pindamonhangaba, SP and its insertion in local and regional dynamics* - Anais I Seminário de Recursos Hídricos da Bacia Hidrográfica do Paraíba do Sul: o Eucalipto e o Ciclo Hidrológico, Taubaté, Brazil, 07-09 November 2007, IPABHi, p. 139-146.

FRAZÃO, E. B. *Gesteinsmaterialien für das Bauwesen*. In: Oliveira, A. M. S.; Brito, S. N. A. (Ed.) Engineering Geology. São Paulo, Brasilianischer Verband für Ingenieurgeologie, 1998.

FREITAS, C. J. *Einfluss der Variation von Bestandteilen auf die Leistung von Beschichtungsmörteln*. Bundesuniversität von Minas Gerais. Master-Dissertation. 2007.

GEHLEN, I. und BRANDLI, L. *Basalt-Exploration in der Missionsregion des Bundesstaates Rio Grande do Sul: ein Ansatz für Umweltfragen* Universität Passo, RS. 2007.

HOFFMANN, Andressa. *Bewertung der direkten Umweltauswirkungen in einem Sandhafen in der Gemeinde Santa Terezinha de Itaipu - PR:* Fallstudie. 2009. 68 f. Abschlussarbeit (Grundstudium in Umwelttechnik) - Universidade Dinâmica de Cataratas - UDC, Foz do Iguaçu/PR, 2009.

BRASILIANISCHES INSTITUT FÜR GEOGRAPHIE UND STATISTIK. *Diagramme und Karten von Brasilien.* Rio de Janeiro: IBGE, 2011. 1 Karte. Maßstab 1:5000000. 2 CD-ROM.

NATIONALES METEOROLOGISCHES INSTITUT. *Monatliche Durchschnittswerte der klimatologischen Normalwerte für Redenção 2012.* Verfügbar unter: <http://www.inmet.gov.br/portal/index.php?r=bdmep/bdmep> Zugriff am: 20. Juni 2016.

NATIONAL SPACE RESEARCH INSTITUTE. *Image Catalogue 2012.* Verfügbar unter: <http://www.dgi.inpe.br/CDSR/>. Abgerufen am: 20. Juni 2016.

MACHADO, Gustavo Scheidt. *Folgenabschätzung und Umweltkontrollplan für ein erzverarbeitendes Unternehmen.* 2009. 74 f. Abschlussarbeit (Grundstudium in Umwelttechnik) Universidade do Extremo Sul Catarinense - UNESC, Criciúma/SC, 2009.

MINEIRAIS für alle erreichbar. São Paulo: BEI Comunicação, 2004. 141 p.

MOREIRA, I. V. D. *Ursprung und Synthese der wichtigsten Methoden der Umweltverträglichkeitsprüfung (UVP).* Handbuch zur Umweltverträglichkeitsprüfung, MAIA, 2002.

OBATA, R. O.; SINTONI, A. *The Role of Public Agents and Legislation.* In: Mineração & Município: bases para planejamento e gestão dos recursos minerais / Coord.: TANNO, L. C.; SINTONI A. - São Paulo: IPT, 2003. p.21- 36.

OLIVEIRA, Frederico Fonseca Galvão de; MEDEIROS, Wendson Dantas de Araújo. *Theoretische und konzeptionelle Grundlagen von Methoden zur Bewertung von Umweltauswirkungen bei UVP/RIMA.* Mercator - Revista de Geografia Universidade Federal do Ceará, Fortaleza, v. 06, n.11,S. 79-82, 2007.

PAES, Gleicy Karen Abdon Alves, *Unterrichtshinweise zur Umweltverträglichkeitsprüfung.* Belém, 2007.

REDENÇÃO, Rathaus. *Master Development Plan.* Redenção: THEMA, 2005. 116 p.

ROMEIRO, Ademar Ribeiro. *Evaluierung und Bilanzierung von Umweltauswirkungen.* São Paulo: Ed. UNICAMP, 2004. 399 p.

ROSSETE, A. N. *Planejamento ambiental e mineração - estudo de caso a mineração de areia no município de Itaguaí- RJ.* Campinas. Magisterarbeit - Institut für Geowissenschaften, Staatliche Universität von Campinas. 1996.

SÁNCHEZ, Luis Enrique. *Umweltverträglichkeitsprüfung:* Konzepte und Methoden. São Paulo: Oficina de Textos, 2008. 495 p.

SÁNCHEZ, Luis Enrique. *Umweltverträglichkeitsprüfung:* Konzepte und Methoden. São Paulo: Oficina de Textos, 2006. 495 p.

SANTOS, Renato Prado dos. *Einführung in ArcGis®:* Konzepte und Befehle 2009. Verfügbar unter   : <http://xa.yimg.com/kq/groups/17314041/51088737/name/Apostila+Renato+Prado+Vol+2.pd>. Abgerufen am: 20. Juni 2016.

SOARES FILHO, Britaldo Silveira. *Interpretation von Erdbildern.* Belo Horizonte: UFMG, 2000. 19 p.

SOUSA, Welison Teodoro; LIMA, Wesley da Rocha. *Bewertung der Umweltauswirkungen, die sich aus der Ausweitung der Gebiete für die Umsetzung und Entwicklung der Viehzucht in der Gemeinde Redenção-PA ergeben.* 2012. 98 f. Abschlussarbeit (Grundstudium in Umwelttechnik) - Staatliche Universität von Pará - UEPA, Redenção/PA, 2012.

TAVEIRA, A. L. S. *Qualitative Analyse der Verteilung von Umweltkosten:* eine Fallstudie von Samarco Mineração S.A. 1997. 162 p. Dissertation (Magister in Geowissenschaften) - Institut für Geowissenschaften, Staatliche Universität von Campinas, Campinas, 1997.

VICZ, R. F. *Konflikte zwischen Sandabbau und Stadterweiterung im Großraum Curitiba (PR).* Campinas. Magisterarbeit - Institut für Geowissenschaften, Staatliche Universität von Campinas 1998.

Milton Keynes UK
Ingram Content Group UK Ltd.
UKHW010853280324
440101UK00001B/220